清代學術名著叢刊

經傳釋詞

[清] 王引之 撰　李花蕾 校點

上海古籍出版社

圖書在版編目(CIP)數據

經傳釋詞 / (清)王引之撰；李花蕾校點. —上海：上海古籍出版社，2016.3（2023.2重印）
（清代學術名著叢刊）
ISBN 978-7-5325-8014-9

Ⅰ.①經… Ⅱ.①王… ②李… Ⅲ.①經學—古漢語虛詞—訓詁 Ⅳ.①H16②H141

中國版本圖書館 CIP 數據核字(2016)第 045028 號

清代學術名著叢刊
經傳釋詞
[清]王引之　撰
李花蕾　校點
上海古籍出版社出版、發行
（上海市閔行區號景路159弄1-5號A座5F　郵政編碼201101）
(1)網址：www. guji. com. cn
(2)E-mail：guji1@ guji. com. cn
(3)易文網網址：www. ewen. co
上海展强印刷有限公司印刷
開本 850×1168　1/32　印張 9　插頁 2　字數 173,000
2016 年 3 月第 1 版　2023 年 2 月第 4 次印刷
印數：3,901—4,500
ISBN 978-7-5325-8014-9
H·141　定價：38.00 元

本書出版得到國家古籍整理出版專項經費資助

上海交通大學經學文獻研究中心項目

高郵二王著作集

主　編：虞萬里

副主編：黄曙輝

點校人員（以姓氏筆畫爲序）：

王園園　李花蕾　沈毅驊　馬　濤　徐煒君

張　鉉　張靖偉　程羽黑　虞思徵　鄭　蕊

趙思木　樊波成　龔志偉

高郵二王著作集出版説明

顧炎武《日知録》和《九經誤字》牖導清代校勘、考訂式學術筆記，邵晉涵《爾雅正義》則開啓學者字韻書疏證。乾嘉以還，學者由經而史，而子而集，潭思深研，時術密藝，一時名著如姚黄魏紫，各盡其妍。其中獨樹一幟，卓爾堪傳，傳且能久者，當推高郵王念孫、王引之父子所著《廣雅疏證》《讀書雜志》《經義述聞》及《經傳釋詞》四種。

王念孫，字懷祖，號石臞，亦作石渠，乾隆九年（一七四四）三月十三日生於高郵里第。幼年隨其父禮部尚書安國寓京，生而穎悟，四歲讀《尚書》，隨口成誦，已有神童之目。十歲讀遍十三經，旁涉史籍。二十一年（一七五六）安國延請碩儒戴震館於家，使念孫從學。相從一年，念孫問震曰：「弟子將何學而可？」震沉思良久而曰：「君之才竟無所不可也。」期許甚高。二十二年（一七五七）遭父喪，扶柩歸里，從同邑夏嘯門學舉業。服闋，應童子試，州試第二，府院試皆第一。年十九，娶吴恭人。此後數年，與江都汪中、寶應劉台拱、興化任大椿、歙縣程瑶田等書札往返，討論古學。三十年（一七六五）乾隆巡幸江南，念孫以迎鑾獻頌詔賜舉人。明年會試不第，在京購得江永《古韻標準》，始治古韻之學，返里後取三百篇反覆尋繹，分古韻爲二十一部。後兩試春闈皆不第，在京得謁朱筠之門，與談六書精義，始研治《説文》字學，並爲朱筠校正小徐本《説文》《大戴禮記》等。四十年（一七七五）中進士，殿試賜二甲第七名，改翰林院庶吉士。旋乞假歸里，獨居於鄉邑之湖濱精舍，窮蒐冥討，著述盈箱，爲日後著《廣雅疏證》《讀書雜志》等奠定學術基礎。四年後入都，供職翰林，恒日手一編，不與人事。次年補行散館，以試《日處君而盈度賦》列一等第五名，奉旨任工部都水司主事，自是與治水結不解之緣。因字學精深，於四十七年（一七八二）充任四庫全書館篆隸校對官，成就卓著。四十九年（一七八四）補工部虞衡司主事，次年，擢工部營繕司員外郎，保送御史。明年，擢工部製造庫郎中。五十二年（一七八七），奉旨從工部侍郎德曉峰往勘浙江海塘工，次年，補陝西道監察御史，明年，轉山西道監察御史，又轉京畿道監察御史。嘉慶二年（一七九七），轉吏科掌印給事中。四年（一七九九）正月，密草奏疏《敬陳剿賊事宜摺》彈劾和珅，指責和珅受乾隆「知遇之隆，位居台輔，爵列上公，不思鞠躬盡瘁，惟知納賂營私，圖一己之苞苴，忘國家之大計，金錢充於私室，鋪面遍於畿輔」，謂「和珅之罪不減於教匪。內賊不除，外賊不可得而滅也」，並以乾隆比帝堯，嘉慶比虞舜，而將和珅況共工、驩兜，直逼嘉慶誅殛和珅。佞臣伏法，天下稱快，念孫亦因此英名遠播。旋奉命巡視淮安漕務，特授直隸永定河道，九年（一八〇四），予四品頂戴，實授山東運河道，十三年，調任直隸永定河道。嘉慶十五年（一八一〇），永定河洪水泛濫，兩岸同時滿溢，念孫具奏，自請治罪，得旨以六品休致。適長子引之自河南學政歸，乃迎養於京邸。自後除隨引之往濟南學署數年，皆在京城生活。晚年嘗病手足偏枯之疾，猶忘憂忘食，鋭意著述，終成《讀書雜志》八十四卷。道光十二年（一八三二），正月二十四日，卒於北京寓所，年八十九。

念孫一生著作豐贍，《廣雅疏證》《讀書雜志》外，已刊者尚有《方言疏證補》一卷，《釋大》八篇，《毛詩群經楚辭古韻譜》二卷，《王光禄遺文集》六卷、《王石臞先生遺文》四卷、《王石臞文集補編》、《丁亥詩鈔》一卷、《春圃府君行狀》一卷，未刊稿本有《雅詁表》二十一卷，《爾雅分韻》四卷，《方言廣雅小爾雅分韻》一卷，《古音義雜記》不分卷，《雅詁纂》一卷，《疊韻轉語》不分卷，《周秦韻譜》一卷，《兩漢合韻譜》十七卷，《諧聲譜》二卷，《古音索隱》不分卷，《雅音釋》一卷，《逸周書戰國策合韻譜》一卷，《説文諧聲譜》不分卷，《諧聲表》二卷。其他《群經字類》《六書正俗》《説文考正》《讀説文札記》等，雖未定稿成書，而經義卓見，皆爲日後著作所取資。其校讀他人著作，時有簽記，後人輯録，因有《爾雅郝注刊誤》《説文段注簽記》等，亦可覘見王氏學術見解。

王引之，字曼卿，又字伯申，念孫長子。乾隆三十一年（一七六六）三月十一日生於高郵里第。生而弱小，幼而聰穎，五歲啓蒙，篤志於學。年十七，補博士弟子員。旋進京侍父，入國子監肄業。年二十一，應順天鄉試不售。次年歸里侍母，從事文字、聲音、訓詁之學，日夕取《爾雅》《説文》《方言》《六書略》《六書故》等研讀求索，於諧聲一端特有見解。復研習顧炎武、江永、段玉裁之小學著作，折衷其父《毛詩九經音》之旨，於古韻有較深之領悟。同時撰《周秦名字解詁》一書，後收入《經義述聞》中。乾隆六十年（一七九五）順天鄉試，策問五經小學，古韻部分異同，以條對出人意表，援證詳賅，斷論精确中式。嘉慶四年（一七九九）及第，會試、殿試以一甲三名賜進士，授翰林院編修。六年（一八〇一）散館簡放貴州正考官，八年（一八〇三）大考擬潘岳《籍田賦》，欽取一甲三名，擢侍講，旋充日講起居注官、詞林典故館總纂。簡放湖北鄉試正考官。嘉慶十二年（一八〇七）、十九年（一八一四）先後簡放河南、山東學政，頗有政績。二十二年（一八一七）奉命往福建治李賡芸被誣自經之獄，使李氏冤情得以昭雪。此後十年，遷轉禮部、吏部、刑部、户部左右侍郎，充仁宗實録總裁官、國史館總裁、經筵直講大臣等。道光七年（一八二七）擢工部尚書，八年（一八二八）署吏部尚書，十一年（一八三一）署工部尚書。十四年（一八三四）十一月廿四日，以工部尚書卒於京城寓所。

引之所著有《經義述聞》與《經傳釋詞》二種，及《廣雅疏證》卷十上、下「釋草」以後部分，《字典考證》十二卷，《王文簡公遺文集》八卷，《石臞府君行狀》一卷，《王伯申文集補編》二卷等。

《廣雅疏證》十卷，王念孫撰，附王氏校正隋曹憲《博雅音》十卷。爲念孫第一部用力之作。經始於乾隆五十三年八月，稿成於嘉慶元年，歷時八載。嘉慶初年有王氏家刻本，道光以後，淮南書局據家刻本重刊，《清經解》與《畿輔叢書》亦如是。民國時，《叢書集成初編》據《畿輔叢書》本影印，《四部備要》則據家刻本排印。一九八三年上海古籍出版社據上海圖書館所藏嘉慶本影印，附以羅振玉《殷禮在斯堂叢書》本王念孫《廣雅疏證補正》。一九八三年中華書局據家刻本影印，參校《畿輔叢書》本斷句，後附《廣雅疏證補正》。一九八四年江蘇古籍出版社以家刻本爲底本影印，前有徐復所撰《弁言》，《清儒學案》卷一百一王念孫、王引之傳，後附《廣雅疏證補正》及詞目索引。

《讀書雜志》八十二卷，《餘編》二卷，王念孫撰。係於經部之外對史部如《逸周書》《戰國策》《史記》《漢書》《後漢書》，子部如《管子》《晏子春秋》《墨子》《荀子》《淮南子》《老子》《莊子》《吕氏春秋》《韓非子》《法言》，集部如《楚辭》《文選》和部分漢碑所作校勘與考訂。書繼《廣雅疏證》之後，於嘉慶元年開始陸續撰寫，十七年後陸續付梓，至道光十一年（一八三一）撰畢刊成。其中《後漢書》和《老子》以後數種係其殁後長子引之從遺稿中檢尋編成，次年附刻於後，殆屬未成之稿。《雜志》校正各書傳寫譌誤、衍奪、倒文計一千數百條，並於《淮南子雜志》後總結古書譌誤之例六十二條，足爲校勘古書之範式。同治九年金陵書局據家刻本重刊，光緒間鴻文書局、點石齋、鴻寶齋皆取家刻本付石印，一九三〇年商務印書館排印後收入《萬有文庫》，一九三三年商務印書館《國學基本叢書》、一九八五年中國書店皆據《萬有文庫》本影印。一九八五年江蘇古籍出版社亦據家刻本影印，一九九一年中華書局據金陵書局本斷句影印。道光九年嚴杰纂輯《清經解》，選取《讀史記雜志》和《讀漢書雜志》中有涉經義者若干條，編爲二卷，次於所收《廣雅疏證》後。光緒十四年王先謙編《清經解續編》，以《逸周書》爲《尚書》類文獻，故收入《逸周書雜志》四卷。

《經義述聞》三十二卷，王引之撰。書係對《周易》《尚書》《毛詩》《周官》《儀禮》《大戴禮記》《禮記》《春秋左傳》《國語》《春秋公羊傳》《春秋穀梁傳》《爾雅》十二部經典之校勘和語詞考釋，重點在補正古書中訓詁後人未能發明者。另有《春秋名字解詁》和《通說》，前者發明古人名與字之關係，爲《春秋左傳》之附屬，後者下卷總結古書譌誤、古書文義和文字假借規律，揭示後人誤解誤改古書實例，如《經文假借》《語詞誤解以實義》《經義不同不可强爲之説》《經傳平列二字上下同義》《經文數句平列上下不當歧異》《經文上下兩義不可合解》《衍文》《形譌》《上下相因而誤》《上文因下而省》《增字解經》《後人改注疏釋文》

等，於理解、閱讀古書大有裨益。全書二千三四百條，雖重在訓詁，而校正其中之譌字、倒文、衍奪竟有六百餘條。王氏父子所刻《雜志》與《述聞》，以統一版式，成書一種或一部即付梓，有所增補則重刻，最後彙集拼合，故《述聞》有數種版本。初刻於嘉慶二年，不分卷；重刻於嘉慶二十二年，增補二百數十條，分爲十五卷；三刻於道光七年，增補五百餘條，釐爲二十三卷；之後數年又刻《爾雅》《太歲考》《通説》及前曾刊刻復又增補之《春秋名字解詁》，總爲三十二卷，至道光十年完成。《清經解》刊成於道光九年，所收無《太歲考》二卷與《通説》二卷，故僅二十八卷。及三十二卷本刊成，學海堂又於卷一千二百零七後增刻《通説》二卷爲卷一千二百零七中、卷一千二百零七下，實爲三十卷。或因《太歲考》無法疊牀架屋且非純粹之經學，故舍之不補。一九三六年中華書局《四部備要》據家刻本排印，一九八五年江蘇古籍出版社據家刻本影印。

《經傳釋詞》十卷，王引之撰。書係擇取九經、三傳及周秦、西漢之書中虛詞一百六十條，參互比勘，予以解釋。以古聲紐喉、牙、舌、齒、唇序次，使人易於理解古代語辭之聲韻關係。前有引之嘉慶三年（一七九八）與阮元嘉慶二十四年（一八一九）之序，蓋其書萌於嘉慶初年，撰於十六年至二十二年，刻成於嘉慶末年。道光二十一年錢熙祚校勘刻入《守山閣叢書》，後鴻文書局、成都書局等多據錢本翻刻、影印或排印。

王氏父子著作留存於世者數十種，然其生前定稿付梓者主要即此《廣雅疏證》《讀書雜志》《經義述聞》《經傳釋詞》四種。二百年來，薪傳學者，播譽人口，非唯成二王之代表作，抑亦爲乾嘉之學術名著。然雖翻刻、影印，一而再三，至今竟無四種一式之整理本。兹取家刻本爲底本，參取各本優點，以閱讀參考爲要旨，不作繁細校記。古人引書，往往隨心所欲，以致五花八門，故利用標號與點號本身功能，兼顧版式疏密美觀，在儘量統一前提下，稍有變通，使文意層次邏輯清晰，並列專名合理區别，期收原著本意畢現之效。其有曲解二王文意而産生之譌誤，敬請讀者不吝指正，謹先此致謝。

二〇一三年十一月七日　虞萬里於榆枋齋

《經傳釋詞》整理本序

虞萬里

《經傳釋詞》十卷，爲高郵王氏四種之一，王引之撰。

今人習於語法學名詞，知詞爲與實詞相對之虛詞，復以其在語法結構中位置與功能，乃知有介詞、連詞、助詞、語氣詞之别。而古人之認識、理解、表述則另有一塗。先秦《墨子·經説上》有「且：自前曰且，自後曰已，方然亦且」之表述，儒門傳《春秋》，亦有「曷爲或言而，或言乃？乃難乎而也」《公羊傳·宣公八年》、「又，有繼之辭也」《穀梁傳·昭公二十五年》之解。秦漢之際，《毛傳》於《詩》中虛詞如「思」、「薄」、「且」、「載」、「忌」、「止」等，多釋以「辭也」，是已將語氣助詞從詞彙中别出作解。繼之若叔師注《楚辭》，康成注群經，邠卿注《孟子》，元凱解《左傳》，景純注《爾雅》，元朗纂《釋文》，乃至叔重著《説文》，野王著《玉篇》，益張大其範圍，語氣助詞外，凡經典中字無實義者皆以「辭」或「詞」解之，或曰「語助」，或曰「語終辭」，或曰「語已辭」。至沖遠删定《五經正義》，始以語法爲標準，界定「辭」乃「假辭以爲助」且「不爲義」之詞。唯其「假辭以爲助」，而音睽秦越，韻變古今，各以聲韻近同之辭相假，至有假實詞爲助者，於是實詞變虛，虛詞益夥，虛實相混，詞義難辨。後世詮解經典，遂有誤語詞爲實義者，致使古人文意晦矣。宋呂東萊著《東萊博議》，特撰《虚詞備考》殿於書末。計列「起語虚詞」十七條，「接語虚詞」一百三十九條，其中順用六十三條，逆用七十六條。「轉語虚詞」六十二條，「襯語虚詞」三十三條，「束語虚詞」四條，「歇語虚詞」五十條，其中實寫順寫者二十三條，虚寫逆寫者二十七條。雖僅類次，略作解釋，然大略椎輪，用心良多。唯其爲時文作法而設，故究心於詞類者忽之。

虚詞專著肇始於元，盧允武以緯著《語助》，一名《助語辭》。蓋承漢唐經師「語助」之解爲名。書取六十六組虚詞，衡以文法，闡述修辭、情貌異同。唯專用己意疏解，頗少古人例證，殆「其始作也簡」，然篳路藍縷之功不可没也。清袁振千仁林著《虚字説》，書雖一卷，而釋詞一百十五，殿以「虚字總説」。劉武仲淇著《助字辨略》五卷，廣採經傳、諸子乃至小説之虚詞四百七十六字，參以前賢之説，一一作解，所謂「刺舊詁者十七，參臆解者十三」也。書依平水韻分平上去入四聲編排。撮其訓詁之例爲：正訓、反訓、通訓、借訓、互訓、轉訓六類。劉書較盧著更進者，在其起首多引字韻書如《爾雅》《廣韻》等訓爲解釋之標杆，而後博徵四部載籍例句相證，以示信實，間出己意以按斷之。劉毓崧跋《辨略》，謂「近時王伯申尚書著《經傳釋詞》十卷，其撰著之意略同此書，詁訓益精密，然刱始之功，不能不推劉君也」。與伯申《釋詞》相提竝論，已高位標置，而推爲刱始，或未知前有以緯《語助》也。

盧、袁之書，排列無緒，劉著依韻羅列，稍便檢尋，而無虛詞之間內在理路可循。伯申《釋詞》，所釋雖僅一百六十詞，然其編排獨特，以古聲紐喉、牙、舌、齒、唇爲序，即一至四卷爲喉音，卷五爲牙音，卷六、卷七爲舌音，卷八、卷九爲齒音，卷十爲唇音。王氏父子一生之成就，即在「就古音以求古義，引伸觸類，不限形體」，以古聲紐爲次，正足以顯示音睽秦越所用之假借，韻變古今所代之轉注，而使讀者醒悟有得，此《釋詞》所以卓絶前人者也。劉氏辨識虛詞，旨在構文以達性情，王氏詮解虛詞，意主訓詁以釋字義。唯其重構文，顧性情，故將四百七十六字分爲：重言、省文、助語、斷辭、疑辭、詠歎辭、急辭、緩辭、發語辭、語已辭、設辭、別異之辭、繼事之辭、或然之辭、原起之辭、終竟之辭、頓挫之辭、承上、轉下、語辭、通用、專辭、僅辭、歎辭、幾辭、極辭、總括之辭、方言、倒文、實字虛用等三十類。論者多嫌其繁複龐雜，蓋其兼顧多端，標準不一，而其用心之細，用意之密，固有可嘉者焉。唯其主訓詁，定字義，故就語辭之別劃分，錢熙祚跋文稱其分爲常語一百零二次、語助八十七次、歎詞十六次、發聲詞四十六次、通用詞六次、別義六類，論者稱其簡括明瞭。實則《釋詞》所分遠不止此，他如承上之詞十次、詞之轉四次、詞之承上而轉一次、轉語詞七次，以上描述連詞；連及之詞二次，以上描述介詞；大略之詞一次、或然之詞一次、不定之詞三次，以上描述副詞；發語詞十六次、語終詞一次，以上描述語氣詞；助語詞三次、語中助詞一次、語詞七十二次、問詞之助一次，以上描述助詞；不然之詞二次，以上描述歎詞。他如「狀事之詞」四次、「比事之詞」二次、「願詞」一次等，諸如此類，不一而足，且就中多有前人所用之名詞。究其劃分標準，亦不一致。《辨略》窮蒐虛詞，上下千年，取材遍及四部典籍，乃至方言俗語。《釋詞》原僅取《尚書》二十八篇之文分析，後得乃父啟發，始「自九經、三傳及周、秦、西漢之書，凡助語之文，遍爲搜討」，而東漢以後語料，除個別如《論衡》、漢碑之外，概不録取，故收詞僅《辨略》三之一。阮伯元譽爲「絶代語釋」，蓋爲知言。《釋詞》之作，殆在二王校證經文，融會經義之後，審其辭氣，紬其義訓，明其音轉，比例條陳而成，故「發先儒未發之覆，解後人不解之惑」，其爲閲讀先秦典籍之用，固不可等閒視之。

高郵二王「終風且暴」、「終温且惠」之解，早已播在人口，逮《釋詞》甫成，阮伯元爲之作序，一時傳遍士林，聲譽突過且掩没盧、袁、劉之書，儼然爲研究虛詞獨一無二之著，蓋嘉道間樸學猶盛，書繼高郵二王《讀書雜志》《廣雅疏證》《經義述聞》之後，宜其獨享盛譽也。傳既久之，學者深耽熟玩其書，漸至有增補者。先是同門陳壽祺弟子惠安孫濟侯經世有《經傳釋詞補·再補》，計「庸」、「一」、「乃」、「而」等十七字之訓釋，約三萬言。同治間，南豐吴華石昌瑩著《經詞衍釋》十卷，詞目一仍《釋詞》，逐條補釋，凡《釋詞》所無之義，小字標出「此義《釋詞》不載」。吴書旨在「續其援引所未詳，又於其釋之所未及而實爲義所應有者，博稽而推廣之；釋之所可通而本義實别有在者，徵引而竝存之」。至《釋詞》不收而先秦經典及西漢典籍有其義者，作《補遺》附後，計「從」、「但」、「亶」、「舍」、「第」、「宛」等二十五字，總約十萬字，幾與《釋詞》相埒。俞蔭甫樾盛贊《釋詞》爲「空前絶後」之學，遂本其意括而示古書虚詞之例。參見《古書疑義舉例》卷四。清末馬建忠仿西洋語法體系著《馬氏文通》，冀從文法上闡述漢語虚詞，時有糺察舉正。楊遇夫樹達、裴會川學海繼起，先後著《詞詮》與《古書虚詞集釋》。楊氏謂《釋詞》爲擣虚之事，「獨開百年來治學之風氣者」，其書有文法學之意在焉。以嘗所著《高等國文法》「不能盡暢其意，因仿《經傳釋詞》之體，輯爲是書」。楊書立足語法，故每一虚詞用法之前皆標揭介詞、連詞、助詞、歎詞及代名詞、内動詞與副詞等，而後釋義舉例；書以注音字母序次，師王意而變通其例，與時俱進也。裴氏則以武仲、伯申、蔭甫、遇夫四書雖「多精確之發明」，然「千慮一失，智者不免」，其「或誤解對文，或誤爲字衍，或誤爲形譌，或誤爲有省文，或誤以反語爲正言，或誤以實字爲語詞，或誤以有意義之字爲語聲，或誤據彼書以改此書，或誤據以意改字，所引失真之類書，以訂正不誤之原書」，故以爲「古書之虚詞，尚有研幾之必要」，乃集二百九十字而爲此書，篇幅過於楊著。書仍以喉、牙、舌、齒、脣五音爲序，從王氏例也；而每條僅釋義引例，不標詞性，是又不若楊著者。楊、裴兩書之同時，章太炎撰《王伯申新定助詞辯》、黄季剛有《經傳釋詞箋識》、裴會川於《古書虚詞集釋》之後附專論《經傳釋詞正誤》，吴侯齋有《經傳釋詞臆正》。章、裴二文皆從經典古義、訓釋確詁繩究其誤，黄、吴二文則從聲韻通假、意義引伸、文字正俗張皇其説。五十年後，復有徐仁甫之《廣釋詞》出，旨在補武仲、伯申、濟侯、華石、遇夫、會川及張獻之相《詩詞曲語辭匯釋》七書之不足。其所謂廣者，一曰廣詞，二曰廣義，三曰廣例，四曰廣時，其所廣之法，則據互文以求同義，據對文以求反義，據異文以求近義，據同文以求異義。收詞四五百，仍依《釋詞》排列，篇幅竟達四十萬字。

漢語虚詞之詮釋，無外乎審辭氣、確詁訓、探文法。縱觀《語助》以至《廣釋詞》，大多偏於審辭氣與確詁訓，《馬氏文通》之前固其宜也，而之後若《詞詮》《集釋》《廣釋詞》等，雖主觀欲以語法衡之，仍不免墮於辭氣訓詁。唯其墮於辭氣訓詁，而人各以私意理解審定之，致有甲以非乙，乙以非甲，乃至甲乙從違之間無所適從者。究其所以，殆缺乏以語法觀念定其詞性也。伯申《釋詞》一書，固非有現代語法觀念者，而二百年來，推衍糾訂增補之著如此其夥，近百年間之研究論文更有上百篇，援引《釋詞》爲證爲用者無慮數千篇，其他單文隻義之虚謦實贊，更僕難數，此其所以爲虚詞之經典名著，而學者所不可不知不讀者也。

《釋詞》前後不提允武、武仲之書，其是否得見《語助》與《助字辨略》，姑置不論，而自注「辯見《經義述聞》」、「説見《經義述聞》」、「詳見《經義述聞》」者三十餘條，蓋其成書必在《述聞》之後，而與之互爲表裏也。書題引之撰，然其成書之時間，父子傾力之多少，論者猶有疑焉。

民國初年，王静安於津沽親睹王懷祖訂正《日知録》手稿，上有「念孫案」塗改爲「家大人曰」者，弟子劉盼遂聞之，乃據懷祖《與宋小城書》自述著《經義述聞》及此塗乙手稿，疑《經義述聞》中「家大人曰」皆「石渠札記原稿，非經伯申融會疏記者」，竝於《經傳釋詞》下著録有「蕭山朱氏藏王懷祖手校本《經傳釋詞》」，由此開啓《王氏四種》作者問題。本世紀初，趙航、單殿元、于廣元諸先生相繼著文，[①]提出《釋詞》爲二王所共著，然多爲汎論而不若予友陳鴻森先生論證之深切著明。伯申《釋詞序》題作嘉慶三年二月一日，而伯元之序作於嘉慶二十四年小寒日。阮序謂「昔聆其『終風』諸説，每爲解頤，乃勸伯申勒成一書。今二十年，伯申侍郎始刻成《釋詞》十卷」。倒溯二十年，適在嘉慶三四年間。陳文援據

① 趙航《揚州學派概論》，廣陵書社二〇〇二年版；單殿元《經傳釋詞簡論》，《辭書研究》二〇〇二年第四期，又《王念孫王引之著作析論》第三章第一節，社會科學文獻出版社二〇〇九年版；于廣元《經傳釋詞作者考》，《揚州大學學報》二〇〇五年第五期。

《昭代經師手簡》阮元《與王引之書四》及《定香亭筆談》自云欲作《詞氣釋例》或《釋詞》等語，謂乾隆六十年至嘉慶四年伯申忙於舉業，推斷當時《釋詞》絶無成書，此不移之論。于文詳析《釋詞》「家大人曰」之内容，並引伯申《釋詞序》和《石臞府君行狀》「不孝引之過庭之餘，隨時手録，恭載於《經義述聞》及《經傳釋詞》中」，謂「《經傳釋詞》亦是『述聞』而作」。陳文以《釋詞》引「家大人」説七十三條，于文統計爲六十三條，脱略十條。引《讀書雜志》十七條，按，當爲十九條，另二條在「羌，乃也」、「直，猶特也」下。《廣雅疏證》一條外，比勘《釋詞》與《讀漢書雜志》《讀墨子雜志》《讀史記雜志》等文，以其文同意同，遂謂《釋詞》出自乃父。復以《讀史記雜志》卷五「與」字條下文末有「説見《釋詞》」一語，謂「此類互見《釋詞》之例，《雜志》中屢屢見之，不下數十事，此自非王引之《釋詞》有以啓發之，引爲證據也」。①陳氏於清代學術之熟稔，世所罕見，其文勘證嚴密，引據博洽，宏論一出，士林矚目。然《釋詞》與《雜志》互相參證或文意相同，伯申亦可撮其意而爲之，似尚不足證實《釋詞》必出懷祖。近張錦少重檢《吕氏春秋校本》原書、結合《管子》校本「引之曰」内容及臺灣所藏伯申《尚書訓詁》

① 陳鴻森《經傳釋詞作者疑義》，《傳統中國研究集刊》第二輯，上海人民出版社二〇〇六年版，第四八四頁。

鈔本，論證《述聞》《釋詞》皆伯申所作。① 姑不論諸家紛争是非，兹就《雜志》有「説見《釋詞》」語，似若懷祖自著《釋詞》而於《雜志》中參見之矣。然細審《雜志》中提及《釋詞》者，各書有無多少不一，其事猶可分疏：

《雜志》一書出現「説見《釋詞》」共五十八條，前後分佈不甚均匀：《逸周書》一條，《戰國策》無，《史記》五條，《漢書》十一條，《管子》三條，《晏子春秋》三條，《墨子》十九條，《荀子》十四條，《淮南子》一條，《漢隸拾遺》一條。《雜志》各書校勘先後，劉盼遂謂當從《行狀》之次。《行狀》云：府君既罷職，「乃以著述自娱，亟取所校《淮南子内篇》重加校正，博考諸書以訂譌誤。由是校《戰國策》《史記》《管子》《晏子春秋》《荀子》《逸周書》及舊所校《漢書》《墨子》，附以《漢隸拾遺》，凡十種八十二卷，名曰《讀書雜志》，陸續付梓」。見王引之《石臞府君行狀》。《淮南》是舊校，閔、劉兩譜謂其罷職後寓京師校《淮南内篇》，時在嘉慶十五年（一八一〇）；伯申謂其重加校正在道光元年前後，而重校係求得顧千里宋本與《道藏》本之資料，旨在「博考諸書以訂譌誤」，故其識「説見《釋詞》」僅一條。《史記雜志》完稿在嘉慶二十二年（一八一七）；《管子雜志》完稿於二十四年（一八一九），然據洪頤煊《管子

① 張錦少《〈經義述聞〉〈經傳釋詞〉作者疑義新證》，《清華大學學報》，新第四十一卷，第二期，二〇一一年。

義證序》云，嘉慶十四年在德州會懷祖，得其所校《管子》，是《管子雜志》十四年前已完成；《逸周書》《晏子雜志》《荀子雜志》先後完稿於道光九年（一八二九）、十年（一八三〇）、十一年（一八三一）；《墨子雜志》雖舊校，而《敘》作於道光十一年八月，知復又增補重校，《漢書》疑同。《戰國策雜志》三卷無一條，覈其書録成在嘉慶十六年（一八一一）。

由懷祖校書先後推知，嘉慶十五、十六年間，《釋詞》似尚未完稿成書，故《戰國策》《淮南子》幾無徵引；校《史記》時，《釋詞》成型而未梓，已可參見；校《管子》時，《釋詞》已梓，遂能引及；至道光間校《逸周書》《晏子》《荀子》和重校《墨子》《漢書》，乃多參説其書。鑒此，《雜志》中「説見《釋詞》」一語，未必爲懷祖同著參論之筆。兹再就《雜志》「説見《釋詞》」和《釋詞》「家大人曰」以互證之。

《釋詞》中有「家大人曰」七十三條，《雜志》中有「説見《釋詞》」者五十八條。就常理而論，《釋詞》若爲懷祖自著而歸美伯申，復在書中特著「家大人曰」，雖文王與齡之愛可感，而矯飾做作之情難解；且《釋詞》爲懷祖之筆，若伯申實事求是整理，則《雜志》中「説見《釋詞》」之數與《釋詞》中「家大人」之説當相疊相稱。今《釋詞》中「家大人曰」多於《雜志》「説見《釋詞》」者十五條，已不相疊，且兩書中「家大人」與「釋詞」復錯出而不相應，歧異更甚。如《讀逸周書雜志》「長弟」條云：「『焉』字屬下讀，説見《釋詞》。」《釋詞》卷二「焉猶於是也」下兩云「家大人曰：『焉』字下屬爲句」、「『焉』字屬下讀，不屬上讀」。《讀荀子雜志·富國》「無宜而有用爲人數也」條：「『萬物同宇而異體，無宜而有用爲人，句數也』。念孫案：『無宜而有用爲人』爲一句，『數也』爲一句。『爲』讀曰『于』。『爲』、『于』二字古同聲而通用。説見《釋詞》『爲』字下。」《釋詞》卷二「爲」下：「家大人曰：爲，猶『於』也。」此可指爲懷祖一人復筆雙寫，亦可指爲懷祖發之，伯申述之。然若爲懷祖之筆，何不條條著「家大人曰」，以與《雜志》參見相合；若爲伯申祖述其意，則易名「述聞」更副其實。乃其有更多《雜志》參見《釋詞》而《釋詞》不著「家大人」説者，如《讀史記雜志·宋微子世家》「有」字條下云：「凡經傳『又』字多作『有』，説見《釋詞》。」《釋詞》卷三「有，猶『又』也」下無「家大人曰」。《讀墨子雜志》「曰若法」條：「『若』與『此』同義，説見《釋詞》。」《釋詞》卷七「若猶此也」下無「家大人曰」。《讀荀子雜志》「今是」條：「『今是人之口腹』。念孫案：『今是』猶言『今夫』也，説見《釋詞》『是』字下。」《釋詞》卷九「是猶夫也」下無「家大人曰」。諸如此類，固可指《釋詞》爲懷祖所著，無須點明「家大人」者，然亦未嘗不可認爲伯申之著而爲懷祖所參見，前述《雜志》「説見《釋詞》」語在《釋詞》付梓前少見而刊刻後多見，即其佐證。

更有兩書互相參見者。如《讀管子雜志》「八千人」條下云：「引之曰：『八千人』爲數太多，當從《齊語》作『八十人』。……《齊語》作『爲』，『爲』亦『有』也。説見《釋詞》。」《釋詞》

卷二「爲」下有「家大人曰：爲，猶『有』也。《孟子·滕文公篇》曰：『夫滕，壤地褊小，將爲君子焉，將爲野人焉。』趙注：『爲，有也。』」此條「家大人曰」與《雜志》相呼應，而伯申亦曾有説，則今《釋詞》後五百餘字引證論辨，未必非伯申之説。又《讀史記雜志》「能」條下云：「今韓信兵號數萬，其實不過數千，能千里而襲我，亦以罷極。念孫案：此『能』字非才能之能，『能』猶『乃』也。……『乃』與『能』古聲相近，故義亦相通。説見《釋詞》。」《釋詞》卷六：「能猶乃也，亦聲相近也。家大人曰：昭十二年《左傳》曰：……《孫子·謀攻篇》曰：『故用兵之法，十則圍之，五則攻之，倍則分之，敵則能戰，少則能守。』今本『戰』、『守』下竝衍『之』字，辯見《讀書雜志》。」而《讀漢書雜志》「能或滅之」條下有云「『能』字古讀若『耐』，説見《唐韻正》，聲與『乃』相近，故義亦相同」，竝引《孫子》爲説。兩書互相貫串，乃見父子援引之樂，因襲之跡，共證之妙。然伯申援引父説，亦不謹嚴，《釋詞》云「辯見《讀書雜志》」者十八次，另有「詳《讀書雜志》」一次，不計。今八次前標「家大人曰」，後以「辯見《讀書雜志》」呼應，其他十次皆不標明「家大人」説，可見甚爲隨意。

披味伯申自序，其著《釋詞》可分前後兩段。乾隆五十五年庚戌（一七九〇）入都「侍大人質問經義」時，僅「取《尚書》廿八篇紬繹之」，嗣後乃「自九經、三傳及周秦、西漢之書，凡助語之文，徧爲搜討」。方其紬繹《尚書》虚詞時，正懷祖疏證《廣雅》之際（自五十二年至六十年），乃《疏證》中無一語涉及《釋詞》； 如陳文考證，嘉慶三年前後《釋詞》絕無成書； 前論嘉慶十五六年校《戰國策》時，亦無「説見《釋詞》」之語，則其「取九經、三傳及周、秦、西漢之書」鎔鑄《釋詞》必在嘉慶十五六年以後，而此時正懷祖奮筆校勘群書之時。設想伯申有此夙願，伯元亦曾敦促，則懷祖梳理子史，校訂譌誤時，必留意虚字詞氣、訓詁及用法，今《雜志》於子史中虚字極多訂正，即其顯例。至懷祖博徵旁引，不乏留存語料； 而父子參酌商討，亦必多有庭訓。所謂「發明意恉，涣若冰釋」也。然孔庭之前，父啓之發之，訓之釋之； 鄴架之下，子志之記之，引之伸之，其述作界限，固無法剖判涇渭。考《釋詞》參酌《雜志》者十九次，《述聞》三十六次，《廣雅疏證》一次，此伯申纂輯時參取三書之證，而《釋詞》多三書外西漢前經史子例句，雖可尋源溯流，按圖索驥，然亦不乏懷祖著《雜志》參校群書時預爲遺存而伯申得恣意採獲者。惟其如此，故《釋詞》中或而「家大人曰」，或而「説見」三書，或而自出機杼。及論者校覈異同，異同糾葛難辨，誠三者本三而一，一而三故也。將謂天知地知父知子知，誠恐星移斗轉，父悦而子惚矣。然《釋詞》之譔著，時固在嘉慶十六年後二十二年前也。予爲此説，蓋係辨析原著、融會前哲時賢深汲實證成果後之臆解，所謂一得之愚，存乎取捨者也，其有當於史實與否，願質諸高明，靖恭受教。

《釋詞》自嘉慶二十四年（一八一九）家刻本之後，復有道光九年（一八二九）《清經解》

刊本，道光二十一年（一八四一）錢熙祚校勘之《守山閣叢書》本，日本天保十二年（一八四一）東條喆校點刻本，日本天保十四年（一八四三）京都書林邨治右衛門刻本，一九二四年蘇州江氏聚珍版叢書木活字本，一九二八年四川官印局鉛字排印綫裝本，及據以上刊本翻刻、石印、影印、排印、點校及新編語言學叢書等各本，更有附以孫經世《補遺》之中華書局排印本（一九五六年版），附有黄侃、楊樹達批語之嶽麓書社李維琦點校本（一九八四年版），附有王引之《語詞誤解以實義》、章炳麟《王伯申新定助詞辯》、黄侃《〈經傳釋詞〉箋識》、裴學海《〈經傳釋詞〉正誤》及二王《行狀》《年譜》之江蘇古籍出版社影印本（一九八五年版），萃而計之，無慮數十種。唯不見劉盼遂所記蕭山朱氏所藏王懷祖手校本，是學林所企盼而深惜者。兹仍據家刻本點校，諸增補匡正之作，收不勝收，概不附録，以諸書易得，讀者不難檢尋也。

二〇一三年九月十八日至十月二日於榆枋齋

目録

經傳釋詞弟四……七七

經傳釋詞弟五……九五

經傳釋詞弟六……一一九

經傳釋詞弟十

阮序

經傳中實字易訓，虛詞難釋。《顔氏家訓》雖有《音釋篇》，于古訓罕有發明，賴《爾雅》《説文》二書，解説古聖賢經傳之詞氣，最爲近古。然《説文》惟解特造之字，如「亏」、「白」。而不及假借之字，如「而」、「雖」。《爾雅》所釋未全，讀者多誤。是以但知「攸」訓「所」，而不知同「迪」；「攸」與「由」同，「由」、「迪」古音相轉，「迪」音當如「滌」。「滌」之从攸，「笛」之从由，皆是轉音，故「迪」、「攸」音近也。《釋名》曰：「笛，滌也。」但見「言」訓「我」，而忘其訓「閒」。《爾雅》：「言，閒也。」即詞之閒也。雖以毛、鄭之精，猶多誤解，何況其餘？

高郵王氏喬梓，貫通經訓，兼及詞氣。昔聆其「終風」諸説，每爲解頤，乃勸伯申勒成一書。今二十年，伯申侍郎始刻成《釋詞》十卷。元讀之，恨不能起毛、孔、鄭諸儒而共證此快論也。元昔教浙士解經，曾謂《爾雅》「坎、律，銓也」爲「吹、聿，詮也」字之譌，辛楣先生韙之。又謂《詩》「鮮民之生」、《書》「惠鮮鰥寡」，「鮮」皆「斯」之假借字。《詩》「綢直如髪」，「如」當解爲「而」。「髪」乃實指其髪，與「笠」同，非比語，傳、箋竝誤。《老子》「夫佳兵者不祥之器」，「佳」爲「隹」同「惟」。之譌。《老子》「夫惟」二字相連爲辭者甚多。若以爲「佳」，則當云「不祥之事」，不當云「器」。若此之疇，學者執是書以求之，當不悖謬於經傳矣。《論語》曰：「出辭氣，斯遠鄙倍。」可見古人甚重詞氣，何況絶代語釋乎！

嘉慶二十四年小寒日阮元書於贛州舟次

自序

語詞之釋，肇於《爾雅》。「粤」、「于」爲「曰」，「兹」、「斯」爲「此」，「每有」爲「雖」，「誰昔」爲「昔」，若斯之類，皆約舉一隅，以待三隅之反。蓋古今異語，別國方言，類多助語之文。凡其散見於經傳者，皆可比例而知，觸類長之，斯善式古訓者也。

自漢以來，説經者宗尚雅訓，凡實義所在，既明箸之矣，而語詞之例，則略而不究。或即以實義釋之，遂使其文扞格，而意亦不明。如「由」，用也；「猷」，道也；而又爲詞之「於」。若皆以「用」與「道」釋之，則《尚書》之「別求聞由古先哲王」、「大誥猷爾多邦」，皆文義不安矣。此舉一以例其餘，後皆放此。「攸」，所也；「迪」，蹈也；而又爲詞之「用」。若皆以「所」與「蹈」釋之，則《尚書》之「各迪有功」、「豐水攸同」，《毛詩》之「風雨攸除，鳥鼠攸去」，皆文義不安矣。「不」，弗也，「否」，不也，「丕」，大也；而又爲發聲與承上之詞。若皆以「弗」與「大」釋之，則《尚書》之「三危既宅，三苗丕敘」、「我生不有命在天」、「否則侮厥父母」，《毛詩》之「否難知也」、「有周不顯，帝命不時」，《禮記》之「不在此位也」，皆文義不安矣。「作」，爲也；而又爲詞之「始」與「及」。若皆以「爲」釋之，則《尚書》之「萬邦作乂」、「作其即位」，皆文義不安矣。「爲」，作也；而又爲詞之「如」與「有」與「與」與「於」。若皆以「作」釋之，則《左傳》之「何臣之爲」、《晉語》之「稱爲前世」、《穀梁傳》之「近爲禰宮」、《管子》之「爲臣死乎」、《孟子》之「得之爲有財」，皆文義不安矣。又如「如」，若也；而又爲詞之「而」與「乃」與「當」與「與」。「若」，如也；而又爲詞之「其」與「而」與「此」與「惟」。「曰」，言也；而又爲詞之「欥」。「謂」，言也；而又爲詞之「爲」與「與」與「如」與「奈」。「云」，言也；而又爲詞之「有」與「或」與「然」。「寧」，安也；而又爲詞之「乃」。「能」，善也；而又爲詞之「而」與「乃」。「無」，不有也；而又爲詞之發聲與轉語。「有」，不無也；而又爲詞之「爲」。「即」，就也；而又爲詞之「則」與「若」與「或」。「則」，法也；「及」，至也；而又爲詞之「若」。「兹」，此也；而又爲嘆詞。「嗟」，嘆詞也；而又爲語助。「彼」，他也；而又爲詞之「匪」。「匪」，非也；而又爲詞之「彼」。「咫」，八寸也；而又爲詞之「只」。「允」，信也；而又爲詞之「用」。「終」，盡也；而又爲詞之「既」。「多」，衆也；而又爲詞之「祇」。「適」、「徂」、「逝」，皆往也；而「適」又爲詞之「啻」，「徂」又爲詞之「及」，「逝」又爲詞之發聲。「思」，念也；「居」，處也；「夷」，平也；「一」，數之始也；而又皆爲語助。「曷」，詞之「何」也；而又爲「何不」。「盍」，何不也；而又爲「何」。「於」，詞之「于」也；而又爲「爲」，爲「與」。「爰」，詞之「曰」也；而又爲「與」。「安」，詞之「焉」也；而又爲「乃」，爲「則」，爲「於是」。「焉」，詞之「安」也；而又爲「於」，爲「是」，爲「於是」，爲「乃」，爲「則」。

「惟」，詞之「獨」也；而又爲「與」，爲「及」，爲「雖」。「雖」，不定之詞也；而又爲「惟」。「矧」，詞之「況」也；而又爲「亦」。「亦」，承上之詞也；而又爲語助。「且」，詞之更端也；而又爲「此」。「之」，詞之「是」也；而又爲「於」，爲「其」，爲「與」。凡此者，其爲古之語詞，較然甚箸。揆之本文而協，驗之他卷而通。雖舊說所無，可以心知其意者也。

引之自庚戌歲入都，侍大人質問經義，始取《尚書》廿八篇紬繹之，而見其詞之發句、助句者，昔人以實義釋之，往往詰𥶡爲病。竊嘗私爲之說，而未敢定也。及聞大人論《毛詩》「終風且暴」、《禮記》「此若義也」諸條，發明意恉，涣若冰釋，益復得所遵循，奉爲稽式，乃遂引而伸之，以盡其義類。自九經、三傳及周、秦、西漢之書，凡助語之文，徧爲搜討，分字編次，以爲《經傳釋詞》十卷，凡百六十字。前人所未及者補之，誤解者正之，其易曉者則略而不論。非敢舍舊說而尚新奇，亦欲窺測古人之意，以備學者之采擇云爾。

嘉慶三年二月一日高郵王引之敘

經傳釋詞弟一

與

鄭注《禮記・檀弓》曰：「與，及也。」常語也。

與，猶「以」也。《易・繫辭傳》曰：「是故可與酬酢，可與祐神矣。」言可以酬酢，可以祐神也。《禮記・檀弓》曰：「殷人殯於兩楹之閒，則與賓主夾之也。」言以賓主夾之也。《玉藻》曰：「大夫有所往，必與公士爲賓也。」言必以公士爲擯也。義見上文。《中庸》曰：「知遠之近，知風之自，知微之顯，可與入德矣。」言可以入德也。《論語・陽貨篇》曰：「鄙夫可與事君也與哉！」言不可以事君也。孔傳曰：「言不可與事君。」皇疏曰：「言凡鄙之人不可與之事君。」皆非也。下文「患得」、「患失」皆言鄙夫所以不可事君之故，非謂不可與鄙夫事君也。《後漢書・李法傳》：「法上疏諫，坐失旨，免爲庶人，還鄉里。人問其不合上意之由，法未嘗應對。固問之，法曰：『鄙夫可與事君乎哉！苟患失之，無所不至。』」法之言如此，是不説人以無罪而以鄙夫自貶，且自謂其不可以事君也。然則法之意，亦謂鄙夫不可以事君，非謂不可與鄙夫事君明矣。顔師古《匡謬正俗》曰：「孔子曰：『鄙夫可以事君也與哉！』」李善注《文選・東京賦》曰：「《論語》曰：『鄙夫不可以事君。』」變「與」言「以」，正與經旨相合。《史記・袁盎傳》曰：「妾主豈可與同坐哉。」言不可以同坐也。《漢書》「與」作「以」。《貨殖傳》曰：「智不足與權變，勇不足以決斷，仁不能以取予。」《漢書・楊雄傳》曰：「建道德以爲師，友仁義與爲朋。」《文選・羽獵賦》「與」下有「之」字，乃後人不曉文義而妄加之。「與」亦「以」也，互文耳。

家大人曰：與，猶「爲」也。此「爲」字讀平聲。《韓子・外儲説左篇》曰：「名與多與之，其實少。」言名爲多與之而其實少也。《西周策》曰：「秦與天下罷，則令不横行於周矣。」言秦爲天下所疲也。今本作「秦與天下俱罷」，「俱」字乃後人不曉文義而妄加之。辯見《讀書雜志》。《秦策》曰：「吴王夫差棲越於會稽，勝齊於艾陵，遂與句踐禽，死於干隧。」言爲句踐所禽也。

家大人曰：與，猶「爲」也。此「爲」字讀去聲。《孟子・離婁篇》曰：「所欲與之聚之。」言民之所欲，則爲民聚之也。《秦策》曰：「或與中期説秦王曰。」鮑本如是，姚本「與」作「爲」。言爲中期説秦王也。《楚策》曰：「秦王令芈戎告楚曰：『毋與齊東國，吾與子出兵矣。』」言吾爲子出兵也。又《漢書・高祖紀》「漢王爲義帝發喪」，《漢紀》「爲」作「與」。

家大人曰：與，猶「謂」也。《大戴禮・夏小正傳》曰：「獺獸祭魚，其必與之獸，何也？曰：非其類也。」「與之獸」，謂之獸也。「來降燕乃睇室，今本脱「室」字，據傳文補。其與之室，何也？操泥而就家，入人内也。」「與之室」，謂之室也。《曾子事父母篇》曰：「夫禮，大之由也，不與小之自也。」不，非也。與，謂也。言禮在由其大者，非謂由其小者而已也。李善本《文選·報任少卿書》曰：「假令僕伏法受誅，若九牛亡一毛，與螻蟻何以異？而世又不與能死節者。」言世人不謂我能死節也。《漢書·司馬遷傳》作「不與能死節者比」，五臣本《文選》作「不能與死節者次比」，皆後人不曉文義而妄加增改。辯見《讀書雜志》。

《廣雅》曰：「與，如也。」《大戴禮·四代篇》曰：「事必與食，食必與位，無相越逾。」與，如也。言事必如其食，食必如其位也。《晏子春秋·問篇》曰：「正行則民遺，曲行則道廢，正行而遺民乎？與持民而遺道乎？」與，亦「如」也。言將正行而遺民乎，如其持民而遺道乎也。《墨子·兼愛篇》曰：「若大國之攻小國也，大家之亂小家也，强之劫弱，衆之暴寡，詐之謀愚，貴之敖賤，此天下之害也。又與爲人君者之不惠也，臣者之不忠也，父者之不慈也，子者之不孝也，此又天下之害也。又與今人之賤人，執其兵刃毒藥水火以交相虧賊，此又天下之害也。」「又與」，猶「又如」也。襄二十六年《左傳》引《夏書》曰：「與其殺不辜，寧失不經。」凡上言「與其」、下言「寧」者，放此。《禮記·檀弓》曰：「喪禮，與其哀不足而禮有餘也，不若禮不足而哀有餘也。祭禮，與其敬不足而禮有餘也，不若禮不足而敬有餘也。」凡上言「與其」、下言「不若」者，放此。「與其」，皆謂「如其」也。或但謂之「與」。《晉語》曰：「與余以狂疾賞也，宋本如是，今本作「是以狂疾賞也」，乃後人不曉文義而妄改之。不如亡。」《孟子・萬章篇》曰：「與我處畎畝之中，由是以樂堯、舜之道，吾豈若使是君爲堯、舜之君哉！吾豈若使是民爲堯、舜之民哉！」《吕氏春秋・貴直篇》曰：「與吾得革車千乘也，不如聞行人燭過之一言。」《史記・魯仲連傳》曰：「吾與富貴而詘於人，寧貧賤而輕世肆志焉。」是也。閔元年《左傳》曰：「猶有令名，與其及也。」王肅注曰：「雖去猶有令名，何與其坐而及禍也。」見《史記・晉世家》集解。又《後漢書・荀爽傳》：「《傳》曰：截趾適屨，孰云其愚？何與斯人，追欲喪軀？」「何與」，猶「何如」也。二年《傳》曰：「與其危身以速罪也。」《晉語》作「況其危身於狄以起讒於内也」。況，比也。比，亦「如」也。杜注曰：「言孰與危身以召罪。」「孰與」，猶「何如」也。《秦策》曰：「秦昭王謂左右曰：『今日韓、魏，孰與始强？』對曰：『弗如也。』王曰：『今之如耳、魏齊，孰與孟嘗、芒卯之賢？』對曰：『弗如也。』」《齊策》曰：「田侯召大臣而謀曰：『救趙，孰與勿救？』」《趙策》曰：「趙王與樓緩計之曰：『與秦城，何如不與？』」今本「不與」下又有「何如」二字，乃後人不曉文義而妄加之。辯見《讀書雜志》。是「孰與」即「何如」也。故司馬相如《子虛賦》「楚王之獵，孰與寡人乎」，郭璞注曰：「與，猶如也。」

與，語助也。僖二十三年《左傳》曰：「夫有大功而無貴仕，其人能靖者與有幾？」言能靖者有幾也。與，語助也。「與有幾」三字連讀。《釋文》曰：「其人能靖者與，音餘，絶句。」失之。襄二十九年曰：「是盟也，其與幾何？」又昭元年曰：「主民翫歲而愒日，其與幾何？」又曰：「叔向問子晳於行人揮，對曰：『其與幾何？』」又《晉語》曰：「雖謂之挾，而猾以齒牙，口弗堪也，其與幾何？」又曰：「郤子矜其伐而恥國君，其與幾何？」《吳語》曰：「民生於地上，寓也，其與幾何？」言其幾何也。《周語》曰：「若壅其口，其與能幾何？」言能幾何也。韋注：「與，辭也。」《晉語》曰：「諸臣之委室而徒退者，將與幾人？」言將幾人也。韋注：「與，辭也。」又昭十七年《左傳》曰：「其居火也久矣，其與不然乎？」言其不然乎也。《周語》曰：「余一人其流辟於裔土，何辭之與有？」言何辭之有也。《晉語》曰：「亡人何國之與有？」言何國之有也。《越語》曰：「如寡人者，安與知恥？」言安知恥也。又《孟子·滕文公篇》曰：「不由其道而往者，與鑽穴隙之類也。」「與」字皆是語助，無意義也。

㠯 以 已

㠯，或作「以」，或作「已」。鄭注《禮記·檀弓》曰：「『以』與『已』字本同。」

以，語詞之「用」也。《書·堯典》曰：「以親九族。」是也。常語也。

《漢書·劉向傳》注曰：「㠯，由也。」《大戴禮·子張問入官篇》曰：「忿數者，獄之所由生也；距諫者，慮之所以塞也。」「以」亦「由」也。此亦常語。

《玉篇》曰：「以，爲也。」《詩·瞻卬》曰：「天何以刺。」言天何爲刺也。凡經傳言「何以」

若此者，皆謂「何爲」若此也。亦常語。

以，猶「謂」也。《禮記・檀弓》曰：「昔者吾有斯子也，吾以將爲賢人也。」言吾謂將爲賢人也。昭二十五年《左傳》曰：「公以告臧孫，臧孫以難。告郈孫，郈孫以可，勸。」釋文曰：「郈孫以可，絶句。勸，勸公逐季氏也。」言臧孫謂難，郈孫謂可也。《齊策》曰：「臣之妻私臣，臣之妾畏臣，臣之客欲有求於臣，皆以美於徐公。」言皆謂美於徐公也。

《廣雅》曰：「以，與也。」《書・般庚》曰：「爾忱不屬，惟胥以沈。」某氏傳曰：「相與沈溺。」《詩・江有汜》曰：「不我以。」《擊鼓》曰：「不我以歸。」《桑柔》曰：「不胥以穀。」《儀禮・鄉射禮》曰：「主人以賓揖。」又曰：「各以其耦進。」《大射儀》曰：「以耦左還。」箋、注竝曰：「以，猶與也。」《禮記・檀弓》曰：「吾未嘗以就公室。」注曰：「未嘗與到公室，觀其行也。」《易・鼎》初六曰：「得妾以其子。」言得妾與其子也。《詩・小明》曰：「神之聽之，式穀以女。」言式穀與汝也。箋訓「以」爲「用」，失之。《禮記・郊特牲》曰：「賓入大門而奏《肆夏》，示易以敬也。」言示易與敬也。襄二十年《左傳》曰：「賦《常棣》之七章以卒。」言賦七章與卒章也。二十九年曰：「樂氏其以宋升降乎？」言與宋升降也。《論語・微子篇》曰：「而誰以易之。」言誰與易之也。《詩・江有汜》曰：「不我以，不我與。」《旄丘》曰：「何其處也，必有與也。何其久也，必有以也。」傳曰：「必以有功德。」失之。「以」亦「與」也，古人自有複語耳。《管子・形勢篇》曰：「訾讆之人，勿與任大，譕臣者可以遠舉，顧憂者可與致道。」《呂氏春秋・樂成篇》曰：「故民不可與慮化舉始，而可以樂成功。」皆以「與」、「以」互文，故《鄉射禮》「各以其耦進」，今文「以」爲「與」。《越語》「節事者與地」，《史記・越世家》「與」爲「以」。《呂氏春秋・精諭篇》「人可與微言乎」，《淮南・道應篇》「與」爲「以」。《權勳篇》「不穀無與復戰矣」，《説苑・敬慎篇》「與」爲「以」。《燕策》「得賢士與共國」，《史記・燕世家》「與」爲「以」。

以，猶「及」也。《易・小畜》九五曰：「富以其鄰。」虞翻注曰：「以，及也。」《泰》六四、《謙》六五竝曰：「不富以其鄰。」《泰》初九曰：「拔茅茹，以其彙。」言及其彙也。《否》初六同。《剥》初六曰：「剥牀以足。」六二曰：「剥牀以辨。」六四曰：「剥牀以膚。」言及足、及辨、及膚也。《復》上六曰：「用行師，終有大敗，以其國君，句凶。」言及其國君也。王弼訓「以」爲「用」，云「用之於國，則反乎君道」，失之。此家大人説。《周語》引《湯誓》曰：「余一人有罪，無以萬夫。」言無及萬夫也。

以，猶「而」也。《易・泰》六四曰：「不戒以孚。」猶《繫辭傳》言「不疾而速，不行而至」也。《書・牧誓》曰：「俾暴虐于百姓，以姦宄于商邑。」《金縢》曰：「天大雷電以風。」隱九年《左傳》曰：「大雨霖以震。」《禮記・樂記》曰：「治世之音安以樂，亂世之音怨以怒，亡國之音哀以思。」《大戴禮・曾子制言篇》曰：「富以苟，不如貧以譽；生以辱，不如死以榮。」閔二年《左傳》曰：「親以無災，又何患焉？」昭二十年曰：「濟其不及，以泄其過。」《晉語》曰：「狐偃惠以有謀，趙衰文以忠貞，賈佗多識以恭敬。」《吴語》曰：「昔楚靈王不君，其臣箴諫以不入。」莊二十四年《公羊傳》曰：「戎衆以無義。」「以」猶「而」也。僖二十一年《傳》曰：「楚，夷國也，彊而無義。」是其證。何注曰：「戎師多，又常以無義爲事。」失之。《論語・爲政篇》曰：「季康子問：『使民敬忠以勸，如之何？』」「以」字竝與「而」同義。《易・同人・彖傳》曰：「文明以健，中正而應。」《繫辭傳》曰：「蓍之德圓而神，卦之德方以知。」《禮記・聘義》曰：「溫潤而澤，仁也；縝密以栗，知也。」昭十一年《左傳》曰：「桀克有緡以喪其國，紂克東夷而隕其身。」「以」亦「而」也，互文耳。

已，既也。常語也。

鄭注《考工記》曰：「已，太也，甚也。」亦常語也。或作「以」。文五年《左傳》：「嬴曰：『以剛。』」是也。

《爾雅》曰：「已，此也。」《莊子・齊物論篇》曰：「已而不知其然謂之道。」「已」字承上文而言，言此而不知其然也。《養生主篇》曰：「已而爲知者，殆而已矣。」言此而爲知者也。郭象注曰：「已困於知而不知止，又爲知以救之。」非是。此戴氏東原説。《淮南・道應篇》曰：「已雖無除其患，天地之間，六合之内，可陶冶而變化也。」無，不也。言此雖不除其患也。此邵氏二雲説。或作「以」。《禮記・祭統》：「衛孔悝之《鼎銘》曰：『對揚以辟之勤大命，施於烝彝鼎。』」以，此也，指上文而言也。辟，君也。言對揚此君之勤大命，著之於烝彝鼎也。鄭讀「對揚以辟之」爲句，云：「辟，明也。言遂揚君命，以明我先祖之德。」失之。君命謂之勤大命，猶《雒誥》言「文武勤教」也。鄭以「勤大命」爲行君之命，亦失之。此家大人説，下同。《射義》引《詩》曰：「大夫君子，凡以庶士。」亦言凡此庶士也。

顏師古注《漢書・宣帝紀》曰：「已，語終辭也。」《書・洛誥》曰：「公定予往已。」《禮記・檀弓》曰：「生事畢而鬼事始已。」盧植注曰：「已者，辭也。」見《通典・禮六十四》。「已」爲語終之詞，則與「矣」同義，連言之則曰「已矣」。《論語》曰：「始可與言《詩》已矣。」是也。《學而》《八佾》二篇 猶「乎」與「哉」同義，而連言之則曰「乎哉」也。

已，嘆詞也。《書・大誥》曰：「已，予惟小子！」某氏傳曰：「已，發端歎辭也。」《漢書・翟義傳》作「熙」，顏師古注曰：「熙，歎辭。」《康誥》曰：「已，女惟小子！」又曰：「已，女乃其速由茲義率殺！」《梓材》曰：「已，若茲監！」《洛誥》曰：「已，女惟沖子！」《莊子・庚桑楚篇》曰：「已，我安逃此而可！」義竝同也。

猶

《禮記·檀弓》注曰："猶，尚也。"常語也。

《詩·小星》傳曰："猶，若也。"亦常語也。字或作"猷"。《爾雅》曰："猷，若也。""猶"爲"若似"之"若"，又爲"若或"之"若"。《禮記·內則》曰："子弟猶歸器，衣服裘衾車馬，則必獻其上，而後敢服用其次也。"鄭注曰："猶，若也。"襄十年《左傳》曰："猶有鬼神，於彼加之。"言若有鬼神也。

猶，猶"均"也。物相若則均，故猶又有均義。襄十年《左傳》曰："從之將退，不從亦退。猶將退也，不如從楚，亦以退之。""猶將退"，均將退也。《論語·堯曰篇》曰："猶之與人也，出內之吝，謂之有司。""猶之與人"，均之與人也。《燕策》："柳下惠曰：『苟與人異，惡往而不黜乎？猶且黜乎，寧於故國爾。』""猶且黜"，均將黜也。

《詩·陟岵》曰："猶來無止。"傳曰："猶，可也。"字或作"猷"。《爾雅》曰："猷，可也。"

由 猶 攸

《廣雅》曰："由、以，用也。""由"、"以"、"用"一聲之轉，而語詞之用亦然。見"用"字下。

字或作「猶」，莊十四年《左傳》「猶有妖乎」，正義曰：「古者由、猶二字，義得通用。」莊四年《公羊傳》：「紀侯之不誅，至今有紀者，猶無明天子也。」「猶」亦與「由」同。或作「攸」，其義一也。其作「猶」者，《書·盤庚》曰：「先王有服，恪謹天命，茲猶不常寧。」猶，猶「用」也。言先王敬謹天命，茲用不敢常安也。若安土重遷，則是不知天命。故下文曰「今不承于古，罔知天之斷命」也。某氏傳訓「猶」爲「尚」，失之。此家大人說。詳見《經義述聞》，下同。《無逸》曰：「古之人猶胥訓告，胥保惠，胥教誨。」言古之人用相訓告，相保惠，相教誨也。其作「攸」者，《禹貢》曰：「彭蠡既豬，陽鳥攸居。」攸，猶「用」也。言陽鳥之地，用是安居也。林之奇《尚書全解》曰：「諸儒之說，皆以陽鳥爲雁，竊獨疑之。此篇所敘治水，詳見於九州之下者，莫非地名。此州上言彭澤，下言三江、震澤，獨於此三句中言雁，非惟文勢不稱，考之九州，亦無此例也。夫雁之南翔，乃其天性，豈其洪水未平，遂不南翔乎？古地名取諸鳥獸，如虎牢、犬丘之類多矣。《左·昭二十年》『公如死鳥』，杜注：『衛地名。』又鄭有鳴雁，在陳留縣。漢北邊有雁門。安知陽鳥之非地名乎？」案林說是也。居，宅也。「陽鳥攸居」，猶言「三危既宅」耳。陽鳥之地，年代曠隔，莫知所在，不得因此而謂其非地名也。胡氏朏明乃以爲適當鴻雁來賓之時，即所見而紀其事。夫禹八年治水，所見鳥獸多矣。倘即所見而紀之，則《禹貢》豈止區區數策哉？胡氏又曰：「『陽鳥攸居』，與『桑土既蠶』、『三苗丕敘』一例，不必以爲地名。」案彼皆記治水之功，雁之棲宿，於禹績何與乎？雁名陽鳥，書無明文。說者誤以陽鳥爲鳥，因附會「彭蠡既豬」之文，又牽合以鴻雁南翔之說耳，其不足信亦明矣。原其所以誤者，蓋但知《爾雅》有「攸，所也」之訓。以爲經言陽鳥所居，則所居者爲彭蠡，而居之者爲水鳥矣。不知《禹貢》多以「既」、「攸」二字相對爲文。攸，猶「用」也。言陽鳥之地，用是安居也。與他處「攸」訓爲「所」者不同。又曰：「漆、沮既從，豐水攸同。」又曰：「九州攸同，四隩既宅。」義竝同也。《洪範》曰：「帝乃震怒，不畀洪範九疇，彝倫攸斁。」又曰：「天乃錫禹洪範九疇，彝倫攸敘。」言彝倫用斁，彝倫用敘也。《金縢》曰：「予小子新命于三王，惟永終是圖，兹攸俟。」言兹用俟也。《大誥》曰：「予曷其不于前寧人圖功攸終？」「圖功」，大功也。言曷不于前寧人大功用終也。上文曰：「敷前人受命，兹不忘大功。」又曰：「不可不成，乃寧考圖功。」圖功，即大功也。寧考圖功，即此所謂前寧人圖功也。傳訓「圖」爲「謀」、「攸」爲「所」，皆失之。以下「攸」字竝同。又曰：「予曷敢不于前寧人攸受休畢。」言曷敢不于前寧人用受休畢也。《洛誥》曰：「無若火始炎炎，厥攸灼，敘弗其絶。」言厥用灼也。《多士》曰：「亦惟爾多士攸服奔走，臣我多遜。」言惟爾多士用服奔走也。《無逸》曰：「乃非民攸訓，非天攸若。」言非民用訓，非天用若也。《詩·蓼蕭》曰：「萬福攸同。」《采菽》同。言萬福用同也。箋曰：「攸，所也。」失之。下竝同。《斯干》曰：「風雨攸除，鳥鼠攸去，君子攸芋。」言風雨用除，鳥鼠用去，君子用芋也。又曰：「君子攸躋。」又曰：「君子攸寧。」義竝同也。《楚茨》曰：「報以介福，萬壽攸酢。」言萬壽用酢也。《緜》曰：「迺立冢土，戎醜攸行。」言戎醜用行也。《棫樸》曰：「奉璋峩峩，髦士攸宜。」言髦士用宜也。《儀禮·士冠禮》「髦士攸宜」義同。鄭注：「攸，所也。」亦失之。《旱麓》曰：「豈弟君子，福禄攸降。」言福禄用降也。《鳧鷖》「福禄攸降」同。《靈臺》曰：「王在靈囿，麀鹿攸伏。」言麀鹿用伏也。《文王有聲》曰：「四方攸同，王后維翰。」言四方用同也。

《既醉》曰：「朋友攸攝，攝以威儀。」言朋友用攝也。《泮水》曰：「既作泮宫，淮夷攸服。」言淮夷用服也。「猶」、「攸」二字，與「由」同聲而相通，皆語詞之「用」也。説經者見「猶」字則釋之爲「尚」，見「攸」字則釋之爲「所」，皆望文生訓，而非其本指。而《史記·夏本紀》《宋世家》，於「陽鳥攸居」、「豐水攸同」、「彝倫攸斁」、「彝倫攸敘」悉以「所」字代之。蓋古義之湮，由來久矣。

攸，猶「所以」也。《書·洪範》曰：「我不知其彝倫攸敘。」王肅注曰：「我不知常倫所以次敘。」此「攸」字，與下文「彝倫攸斁」、「彝倫攸敘」異義。《史記·宋世家》作「我不知其常倫所序」，亦失之。《大誥》曰：「予惟小子，若涉淵水，予惟往求朕攸濟。」某氏傳曰：「往求我所以濟渡。」是也。

攸，語助也。《書·盤庚》曰：「女不憂朕心之攸困。」言不憂朕心之困也。某氏傳訓「攸」爲「所」，失之。下竝同。《洪範》曰：「予攸好德。」言予好德也。《史記》作「予所好德」，失之。又曰：「四曰攸好德。」言四曰好德也。《詩·皇矣》曰：「執訊連連，攸馘安安。」言執訊連連、馘安安也。毛傳：「攸，所也。」失之。攸，皆語助耳。字亦作「猷」。《盤庚》曰：「女猷黜乃心，無傲從康。」言汝黜乃心也。傳訓「猷」爲「謀」，失之。下同。又曰：「女萬民乃不生生，暨予一人猷同心。」言不與予一人同心也。猷，亦語助耳。

繇 由 猷

《爾雅》曰：「繇，於也。」「繇」、「由」、「猷」，古字通。《爾雅·釋水》釋文曰：「繇，古由字。」莊十四年《左傳》正義曰：「古者『由』、『猶』二字，義得通用。」猷，即「猶」字也。《詩·巧言》「秩秩大猷」，《漢書·敘傳》作「繇」。《書·康誥》曰：「往敷求于殷先哲王。」又曰：「別求聞由古先哲王。」「由」亦「于」也。言徧求聞於古先哲王也。「別」與「徧」古字通，說見《經義述聞》。《詩·抑》曰：「無易由言。」箋曰：「由，於也。」《禮記·雜記》曰：「客使自下由路西。」鄭注曰：「客給使者入設乘黃於大路之西。」《詩·君子陽陽篇》：「左執簧，右招我由房。」疑亦謂招我於房也。傳曰：「由，用也。」箋曰：「由，從也。」皆於義未安。馬融本《大誥》：「王若曰：『大誥繇爾多邦。』」鄭、王本「繇」作「猷」。《漢書·翟義傳》王莽倣《大誥》曰「大誥道諸侯王」，蓋用《爾雅》「繇，道也」之訓。馬、鄭、王竝同。以《釋文》《正義》知之。引之按：「大誥道爾多邦」，文義不順。猷，於也。「大誥猷爾多邦」者，大誥於爾多邦也。經文本自明白，祇緣訓「猷」爲「道」，於義未安，致令後人妄改。其始改也，升「猷」字於「誥」字之上，某氏傳曰：「順大道以告天下衆國。」是也。其再改也，又升「猷」字於「大」字之上，正義曰：「此本『猷』在『大』上。」是也。其他緣例而改者二，改而復脱者一。《多士》曰：「王曰：『猷告爾多士。』」《多方》曰：「王曰：『烏呼，猷告爾有多方士。』」傳竝曰：「以道告之。」蓋俱是「告猷」，而晚出古文改爲「猷告」矣。此緣例而改者也。《多方》曰：「王若曰：『猷告爾四國多方。』」傳曰：「順大道告四方。」與《大誥》「猷爾多邦」傳同。則此句經文亦有「大」字，蓋初作「大告猷爾四國多方」，後改爲「大猷告爾四國多方」，故解之曰：「順大道告四方。」其後則又脱「大」字矣。此改而復脱者也。《大誥》在《多士》《多方》前，其「誥猷」之文，馬、鄭、王必皆有説，學者雖不悟「誥猷」之誤爲「猷誥」，猶不得不載其異同。至《多士》《多方》，「告猷」之義，已詳《大誥》，不復再釋，學者斯忽焉不察矣。然以例推之，可得而知也。後之説《書》者，或以「猷」爲發語詞，或以爲嘆詞，皆不知文由誤倒，故多方推測，而卒無一當也。

因

因，由也，聲之轉也。《書·禹貢》曰：「西傾因桓是來。」常語也。

因，猶也，亦聲之轉也。《楚策》曰：「王獨不見夫蜻蛉乎？六足四翼，飛翔乎天地之閒，俛啄蚉虻而食之，仰承甘露而飲之。自以爲無患，與人無争也。不知夫五尺童子，方將調飴膠絲，加己乎四仞之上，而下爲螻蟻食也。夫蜻蛉其小者也，黄雀因是已。」案：「已」字絶句，「因是」，猶是也。已，語終詞也。言黄雀之自以爲無患，亦猶之蜻蛉也。下文曰「夫黃雀其小者也，黃鵠因是已」，「夫黃鵠其小者也，蔡聖侯之事因是已」，「蔡聖侯之事其小者也，君王之事因是已」，義竝與此同。《文選·詠懷詩》注引延篤《戰國策論》云：「因是已，因事已復有是也。」所解雖未了，而其以「已」字絕句甚明。今本改「已」爲「以」，而以「黃雀因是以」五字連下句讀之，則義不可通矣。下文皆放此。

用

用，詞之「以」也。《一切經音義》七引《蒼頡篇》曰：「用，以也。」「以」、「用」一聲之轉。凡《春秋公羊傳》之釋經，皆言「何以」，《穀梁》則或言「何用」，桓十五年《傳》曰：「何用見其未易災之餘而嘗也。」餘放此。其實一也。《書·皋陶謨》曰：「侯以明之，撻以記之，書用識哉。」「用」亦「以」也，互文耳。

用，詞之「由」也。《詩·君子陽陽》傳曰：「由，用也。」「由」可訓爲「用」，「用」亦可訓爲「由」，一聲之轉也。《禮記·禮運》曰：「故謀用是作，而兵由此起。」「用」亦「由」也，互文耳。

用，詞之「爲」也。《詩·雄雉》曰：「不忮不求，何用不臧？」言何爲不臧也。《節南山》曰：「國既卒斬，何用不監？」言何爲不監也。莊六年《穀梁傳》曰：「何用弗受？」亦謂何爲弗受也。「用」、「以」、「爲」，皆一聲之轉，故「何以」謂之「何用」，「何爲」亦謂之「何用」。互見「以」、「爲」二字下。

允

家大人曰：允，猶「用」也。用亦語詞，義見「用」字下。《書·堯典》曰：「允釐百工。」言用釐百工也。某氏傳曰：「允，信也。」於文義未安。下皆放此。《皋陶謨》曰：「允迪厥德。」言用迪厥德也。又曰：「庶尹允諧。」言庶尹用諧也。庶尹用諧，猶言神人以和。《周官·大司樂》疏引鄭注曰：「允，信也。」文義未安。《大誥》曰：「允蠢鰥寡。」言用動鰥寡也。《論語·堯曰篇》引堯曰：「允執其中。」言用執其中也。包咸注曰：「允，信也。」文義未安。襄二十一年《左傳》引《夏書》曰：「念茲在茲，釋茲在茲，名言茲在茲，允出茲在茲。」言用出茲在茲也。「名言茲在茲，允出茲在茲」者，謂發一言，出一令，必本之於己而後民從之，故傳釋之曰：「將謂由己壹也。」「允出茲在茲」即出茲在茲。允，語詞耳，非謂信出茲在茲也。杜注訓「允」爲「信」，與文義不合。或曰：下文曰「信由己壹而後功可念也」，非釋「允」爲「信」乎？曰：非也。上文曰：「在上位者，洒濯其心，壹以待人，軌度其信，可明徵也，而後可以治人。」故此復申之曰：「信由己壹，而後功可念也。」「信」字正承「軌度其信」而言，非釋「允」字也。且「信由己壹」云云，乃通釋《書》詞，非專釋「允出茲在茲」一句也。哀六年《傳》曰：「《夏書》曰：『允出茲在茲。』由己率常可矣。」亦不以「允」爲「信」。《詩·鼓鍾》曰：「淑人君子，懷允不忘。」懷，思也。言思之用不忘也。箋曰：「懷，至也。古者善人君子，至信不可忘。」失之。《公劉》曰：「豳居允荒。」言豳居用荒也。箋曰：「允，信也。」文義未安。《考工記・栗氏》量銘曰：「時文思索，允臻其極。」言用臻其極也。鄭注曰：「允，信也。」文義未安。《詩・大明》曰：「聿懷多福。」《春秋繁露・郊祭篇》引作「允懷多福」。此蓋出三家《詩》。班固《明堂詩》亦曰：「允懷多福。」是「允」爲語詞也。後人但知「允」之爲「信」，而不知其又爲語詞，故訓釋多有未安。《史記・五帝本紀》《夏本紀》於「允釐百工」、「允迪厥德」、「庶尹允諧」，亦皆以「信」字代之，蓋古義之失，其傳久矣。

允，猶「以」也。《墨子・明鬼篇》引《商書》曰：「百獸貞蟲，允及飛鳥，莫不比方。」言百獸貞蟲以及飛鳥也。「以」與「用」同義，故「允」可訓爲「用」，亦可訓爲「以」。《説文》曰：「允，從儿㠯聲。」「㠯」、「用」、「允」，一聲之轉耳。

允，發語詞也。《詩・時邁》曰：「允王維后。」言王維后也。又曰：「允王保之。」言王保之也。允，語詞耳。《武》曰：「於皇武王，無競維烈。允文文王，克開厥後。」「允文」與「於皇」對文，則「允」爲語詞益明。《泮水》曰：「允文允武。」「允」亦語詞，猶逸《書》言「乃神乃武乃文」耳。見《吕氏春秋・諭大篇》。箋皆訓「允」爲「信」，失之。

於

《廣雅》曰：「於，于也。」常語也。亦有於句中倒用者。《書・酒誥》曰：「人無於水監，當於民監。」猶言無監於水，當監於民也。僖九年《左傳》曰：「入而能民，土於何有。」言何有於土也。凡言「於何有」者放此。昭十九年《左傳》曰：「其一二父兄，私族於謀而立長親。」言私謀於族也。杜注曰：「於私族之謀，宜立親之長者。」文義未安。又曰：「諺所謂室於怒市於色者，楚之謂矣。」言怒於室而色於市也。

於，猶「在」也。見《呂氏春秋・期賢篇》高注。《易・繫辭傳》曰：「《易》之興也，其於中古乎？」《禮記・曲禮》曰：「於外曰公，於其國曰君。」是也。此亦常語。

於，猶「之」也。昭四年《左傳》曰：「亡於不暇，又何能濟？」言亡之不暇也。十年曰：「王貪而無信，唯蔡於感。」言唯蔡之恨也。「於」與「之」同義，故「於」訓爲「之」，「之」亦訓爲「於」。互見「之」字下。

於，猶「爲」也。此「爲」字讀平聲。《禮記・郊特牲》曰：「埽地而祭，於其質也。」又曰：「祭天，埽地而祭焉，於其質而已矣。」皆謂爲其質、不爲其文也。《大戴禮・曾子本孝篇》曰：「如此而成於孝子也。」言如此而後成爲孝子也。《曾子事父母篇》曰：「未成於弟也。」言未成爲弟也。「弟」，讀「孝弟」之「弟」。文六年《穀梁傳》曰：「閏月者，附月之餘日也，積分而成於月者也。」言成爲月也。《孟子·離婁篇》曰：「寇至，則先去以爲民望，寇退則反，殆於不可。」言殆爲不可也。《荀子·正論篇》曰：「是特姦人之誤於亂説以欺愚者而淖陷之。」今本「淖」訛作「潮」，兹據楊注改。誤，謬也。見《説文》。於，爲也。淖，溺也。《楚辭·七諫》「世沈淖而難論兮」，王注曰：「淖，溺也。」言姦人謬爲亂説，以欺愚者而溺陷之也。楊倞注曰：「姦人自誤惑於亂説，因以欺愚者，猶於泥淖之中陷之。」失之矣。「於」與「爲」同義，故姚本《東周策》「夫秦之爲無道也」，《秦策》「楚亦何以軫爲忠乎」，鮑本「爲」竝作「於」。《史記·張儀傳》「韓、梁稱爲東藩之臣」，《趙策》「爲」作「於」。

於，猶「爲」也。此「爲」字讀去聲。《老子》曰：「故貴以身爲天下，若可寄天下。愛以身爲天下，若可託天下。」《莊子·在宥篇》作「故貴以身於天下，則可以託天下。愛以身於天下，則可以寄天下」。「於天下」，即「爲天下」也。今本作「故貴以身於爲天下」、「愛以身於爲天下」，此後人依《老子》旁記「爲」字，而寫者因誤合之也。《老子釋文》：「爲，于僞反。」而《莊子釋文》無「爲」字，以是明之。此家大人説。

於，猶「如」也。昭三年《左傳》曰：「今嬖寵之喪，不敢擇位，而數於守適。」言數如守適也。杜注曰：「不敢以其位卑，而令禮數如守適夫人。」《莊子·大宗師篇》曰：「陰陽於人，不翅於父母。」

「翅」與「啻」同。言不啻如父母也。《秦誓》曰：「不啻如自其口出。」《秦策》曰：「君危於累卵，而不壽於朝生。」言危如累卵，不壽如朝生也。《燕策》曰：「且非獨於此也。」言非獨如此也。故《漢書·韓長孺傳》：「匈奴至者投鞍，高如城者數所」，《新序·善謀篇》「如」作「於」。

於，語助也。《易·繫辭傳》曰：「於稽其類。」《書·堯典》曰：「黎民於變時雍。」「於變」與「時雍」對文。「於」字《釋文》無音，蔡沈以爲歎美辭，非是。又曰：「於予擊石拊石。」釋文曰：「於，如字。或音『烏』而絶句者非。」《詩·靈臺》曰：「於牣魚躍。」「於」字《釋文》無音。又曰：「於論鼓鍾，於樂辟廱。」釋文：「於，音烏，鄭如字。」正義述毛亦如字。今從《正義》。《下武》曰：「於萬斯年。」《雝》曰：「於薦廣牡。」釋文：「於，鄭如字，王音烏。」正義述毛亦如字。今從《正義》。是也。

於，發聲也。《左氏春秋·定五年》「於越入吴」，杜注曰：「於，發聲。」正義曰：「夷言有此發聲。」是也。

「於是」者，承上之詞。常語也。又隱四年《左傳》曰：「於是陳、蔡方睦於衛。」此「於是」亦承上之詞，而其義不同，猶言當是時也。桓五年《傳》曰：「於是陳亂，國人分散，故再赴。」僖十五年《傳》曰：「於是展氏有隱慝焉。」義竝同也。

于

《爾雅》曰："于，於也。"常語也。亦有於句中倒用者。《詩·崧高》曰："四國于蕃，四方于宣。"言蕃于四國，宣于四方也。又曰："謝于誠歸。"亦言誠歸于謝也。見《箋》。

《爾雅》曰："于，曰也。""曰"古讀若"聿"，字本作"欥"，或作"曰"，或作"聿"。說見"欥"字下。"聿"、"于"一聲之轉。"黄鳥于飛"《詩·葛覃》，黄鳥聿飛也。"于以采蘩"《采蘩》，聿以采蘩也。"聿"、"於"亦一聲之轉，故傳曰："于，於也。"箋曰："于以，猶言往以。"與毛異義，非也。若訓"于"爲"往"，則下文"于以用之"及《采蘋》之"于以盛之"、"于以湘之"、"于以奠之"皆義不可通。至《擊鼓》之"于以求之"，則鄭亦訓爲"於"矣。"穀旦于差"、"穀旦于逝"《東門之枌》，言穀旦聿差，穀旦聿逝也。"王于興師"《秦·無衣》，王聿興師也。

"王于出征"《六月》，王聿出征也。"于疆于理"《江漢》，聿疆聿理也。"于"、"聿"皆語詞，猶《緜》之"迺疆迺理"也。箋訓"于"爲"往"，亦失之。"聿""曰"古字通，故《爾雅》訓"于"爲"曰"也。箋解"穀旦于差"、"穀旦于逝"曰："朝日善明，曰相擇矣。""朝日善明，曰往矣。"解"王于出征"曰："王曰：'令女出征玁狁。'"則是以《爾雅》之"于，曰也"爲《論語》"子曰"之"曰"，失其指矣。

于，猶「乎」也。其在句中者，常語也。亦有在句末者。《管子・山國軌篇》曰：「不籍而贍國，爲之有道于？」宋本如是，今本「于」譌作「予」。于，猶「乎」也。《呂氏春秋・審應篇》曰：「然則先生聖于？」高注曰：「于，乎也。」《列子・黄帝篇》曰：「今女之鄙至此乎？」釋文曰：「乎，本又作于。」《莊子・人閒世篇》曰：「不爲社者，且幾有翦乎？」釋文曰：「乎，崔本作于。」是也。又爲歎美之詞，《論語・爲政篇》「孝乎惟孝」，《釋文》及《漢石經》「乎」竝作「于」，是也。

于，猶「爲」也。此「爲」字讀平聲。《詩・定之方中》曰：「定之方中，作于楚宫。揆之以日，作于楚室。」正義曰：「作爲楚丘之宫」、「作爲楚丘之室。」張載注《魏都賦》引《詩》作「作爲楚宫」、「作爲楚室」。《儀禮・士冠禮》曰：「宜之于假。」鄭注曰：「于，猶爲也。」《聘禮記》曰：「賄在聘于賄。」注曰：「于，讀曰『爲』。」昭十九年《公羊傳》曰：「賊未討，何以書葬？不成于弑也。」言不成爲弑也。《史記・秦始皇帝紀》曰：「請刻于石表，垂于常式。」言垂爲常式也。《三王世家》封齊王策曰：「惟命不于常。」褚少孫釋之曰：「惟命不可爲常。」

于，猶「爲」也。此「爲」字讀去聲。《孟子・萬章篇》曰：「惟兹臣庶，女其于予治。」于，爲也。爲，助也。趙注曰：「惟念此臣衆，女故助我治事。」是也。

于，猶「如」也。《易・繫辭傳》曰：「《易》曰：『介于石，不終日，貞吉。』介如石焉，寧用終日？斷可識矣。」是「介于石」，即「介如石」也，故《漢書・汲黯傳》「愚民安知市買長安中，而文吏繩以爲闌出財物如邊關乎」，《史記》「如」作「于」。「于」與「於」古字通，故兩字皆可訓爲「爲」，亦皆可訓爲「如」，互見「於」字下。

于，猶「是」也。《詩・出車》曰：「玁狁于襄。」「玁狁于夷。」言玁狁是襄，玁狁是夷也。猶言「戎、狄是膺，荆、舒是懲」。

于，猶「越」也，「與」也，連及之詞。《夏小正》傳曰：「越，于也。」《廣雅》曰：「越，與也。」《書・大誥》曰：「大誥猷爾多邦，越爾御事。」王莽倣《大誥》，作「大告道諸侯王三公列侯，于女卿大夫元士御事」。是連及之詞曰「越」，亦曰「于」也。《康誥》曰：「子弗祗服厥父事，大傷厥考心。于父不能字厥子，乃疾厥子。于弟弗念天顯，乃弗克恭厥兄。兄亦不念鞠子哀，大不友于弟。」言子之不孝，與父之不慈，與弟之不恭，兄之不友也。某氏傳曰：「於爲人父。」「於爲人弟。」失之。又曰：「告女德之説，于罰之行。」行，道也。言告汝德之説，與罰之道也。傳曰：「告汝施德之説，於罰之所行。」失之。《洛誥》曰：「四方迪亂，未定于宗禮，亦未克敉公功，迪將其後。」當以「四方迪亂未定」爲句，「于宗禮亦未克敉」爲句，「公功迪將其後」爲句。《爾雅》曰：「亂，治也。」《方言》曰：「迪，正也。」「四方迪亂」，猶言「亂正四方」。見《微子篇》。于，越也。言四方正治未定，越宗禮亦未克安也。「公功迪將其後」者，上文曰「公功棐迪篤」，下文曰「公功肅將祇歡」，與此竝以「公功」發句，此文之相符者也。上文「公功」言「棐迪」，下文「公功」言「肅將」，此「公功」言「迪將」，此義之相合者也。舊讀失之矣。《多方》曰：「時惟爾初，不克敬于和，則無我怨。」于，與也。言不能敬與和也。上文曰：「爾惟和哉。」又曰：「亦則以穆穆在乃位。」穆穆，敬也。故此言爾不能敬與和，則無我怨。傳曰：「不能敬于和道。」亦失之。

經傳釋詞弟二

爰

《爾雅》曰：「爰，于也。」又曰：「爰，於也。」「于」與「於」同義。《書・盤庚》曰：「綏爰有衆。」是也。《詩・擊鼓》曰：「爰居爰處，爰喪其馬，于以求之。」「于」亦「爰」也，互文耳。

《爾雅》曰：「爰，曰也。」「曰」與「欥」同，字或作「聿」，說見「欥」字下。「聿」、「爰」一聲之轉。「爰有寒泉」《詩・凱風》，聿有寒泉也。「爰伐琴瑟」《定之方中》，聿伐琴瑟也。「爰得我所」《碩鼠》，聿得我所也。「爰及矜人」《鴻鴈》，聿及矜人也。「爰有樹檀」《鶴鳴》，聿有樹檀也。「爰其適歸」《四月》，聿其適歸也。《蟋蟀》曰：「歲聿其莫。」「爰方啟行」《公劉》，聿方啟行也。「爰衆爰有」，聿衆聿有也。「聿」、「曰」古字通。以上七詩，鄭《箋》皆用《爾雅》「爰，曰也」之訓，是也。而多釋爲《論語》「子曰」之「曰」則失其指矣。《緜》之詩曰：「爰始爰謀，爰契我龜，曰止曰時。」「曰」亦「爰」也，互文耳。又曰：「爰及姜女，聿來胥宇。」「爰」與「聿」亦互文。

張衡《思玄賦》舊注曰：「爰，於是也。」《詩・斯干》曰：「爰居爰處，爰笑爰語。」《公劉》

曰：「于時處處，于時廬旅，于時言言，于時語語。」「爰」，即「于時」也。「于時」即「於是」也。或訓爲「于」，或訓爲「於」，或訓爲「曰」，或訓爲「於是」，其義一也。

《玉篇》曰：「爰，爲也。」《書·洪範》曰：「水曰潤下，火曰炎上，木曰曲直，金曰從革，土爰稼穡。」「曰」與「爰」皆「爲」也，互文耳。《史記·宋世家》作「土曰稼穡」。又見「曰」字下。

爰，猶「與」也。家大人曰：《書·顧命》曰：「大保命仲桓、南宮毛，俾爰齊侯吕伋，以二干戈，虎賁百人，逆子釗于南門之外。」爰，與也。言使仲桓、南宮毛與吕伋共迎康王也。某氏傳曰：「使桓、毛二臣各執干戈，於齊侯吕伋索虎賁百人。」又曰：「伋爲天子虎賁氏。」皆未解「爰」字之義，而曲爲之説。「爰」、「于」、「粤」，一聲之轉，故三字皆可訓爲「於」，亦皆可訓爲「與」。互見「于」、「粤」二字下。

粤　越

《爾雅》曰：「粤，于也。」又曰：「粤，於也。」字亦作「越」。《夏小正》曰：「越有小旱。」傳曰：「越，于也。」于，猶今人言「於是」也。《詩·東門之枌》曰：「穀旦于逝，越以鬷邁。」「越」亦「于」也，互文耳。

《爾雅》曰：「粤，曰也。」「曰」與「欥」同，字亦作「聿」，説見「欥」字下。「聿」、「越」聲相近。

《書·高宗肜日》曰：「越有雊雉。」言聿有雊雉也。《夏小正》曰：「越有小旱。」言聿有小旱也。聿，亦「於是」也。「聿」、「曰」古字通，故《爾雅》訓「粤」爲「曰」也。

越，猶「惟」也。《書·大誥》曰：「越予小子。」言惟予小子也。《詩·閔予小子》曰：「維予小子。」又曰：「越予沖人。」言惟予沖人也。《金縢》曰：「惟予沖人弗及知。」《廣雅》曰：「越，與也。」《書·大誥》曰：「大誥猷爾多邦，越爾御事。」又曰：「肆予告我友邦君，越尹氏庶士御事。」又曰：「爾庶邦君，越庶士御事。」又曰：「義爾邦君，越爾多士尹氏御事。」又曰：「肆哉爾庶邦君，越爾御事。」是也。《周書》「越」字與「與」字同義者甚多，《大誥》一篇而外，不能徧引。

越，猶「及」也。《書·召誥》曰：「惟四月既望，越六日乙未。」言自既望及乙未六日也。下文曰：「惟丙午朏，越三日戊申。」亦謂自丙午及戊申三日也。後皆放此。

越若，亦「及」也。《召誥》曰：「越若來三月。」來，至也。見《爾雅》。言及至三月也。「越若來三月」爲句，「惟丙午朏」爲句，某氏讀「越若來」爲句，傳曰：「於順來。」失之。說見《經義述聞》。下文曰：「若翼日乙卯。」又曰：「越翼日戊午。」是「越」與「若」皆「及」也。「若」與「及」本同義，說見「若」字下。連言之，則曰「越若」矣。《漢書·律曆志》引《武成篇》曰「粤若來二月」，《逸周書·世俘篇》同。義與此同。

亦越者，承上起下之詞。《書・立政》曰「亦越成湯」、「亦越文王、武王」是也。

曰

《說文》云：「曰，詞也。」《廣雅》云：「曰，言也。」此常語也。有一人之言而自爲問荅者，則加「曰」字以別之。若《論語・陽貨篇》云：「懷其寶而迷其邦，可謂仁乎？曰：不可。好從事而亟失時，可謂知乎？曰：不可。」兩「曰不可」皆陽貨之言，說見《四書釋地》。《孟子・告子篇》云：「爲是其智弗若與？曰：非然也。」是也。有非問荅而亦加「曰」字以別之者，語更端也。若《禮記・檀弓》云：「公瞿然失席曰：『是寡人之罪也。』曰：『寡人嘗學斷斯獄矣。』」《論語・憲問篇》云：「曰：今之成人者何必然。」《微子篇》云：「曰：吾老矣，不能用也。」《孟子・公孫丑篇》云：「曰：管仲，曾西之所不爲也，而子爲我願之乎？」是也。此述古語既畢，而更及今事也。《呂氏春秋・驕恣篇》李悝述楚莊王之言畢，則云：「曰：此霸王之所憂也。而君獨伐之，其可乎？」文義與此同。

曰，猶「爲」也，謂之也。若《書・洪範》「一曰水，二曰火，三曰木，四曰金，五曰土」之屬是也。故桓四年《穀梁傳》「一爲乾豆，二爲賓客，三爲充君之庖」，《公羊傳》「爲」作「曰」。

欥音「聿」　聿　遹　曰

《説文》曰：「欥，詮詞也。」字或作「聿」，或作「遹」，或作「曰」，其實一字也。《毛鄭詩考正》曰：「《文選注》《江賦》引《韓詩》薛君《章句》云：『聿，辭也。』《春秋傳》引《詩》『聿懷多福』《左傳·昭二十六年》，杜注云：『聿，惟也。』皆以爲辭助。《詩》中『聿』、『曰』、『遹』三字互用。《禮記》引《詩》『聿追來孝』《禮器》，今《詩》作『遹』。《七月篇》『曰爲改歲』，釋文云：『《漢書》作聿。』《角弓篇》『見晛曰消』，釋文云：『《韓詩》作聿，劉向同。』傳於『歲聿其莫』釋之爲『遂』，於『聿脩厥德』釋之爲『述』。箋於『聿來胥宇』釋之爲『自』，於『我征聿至』、『聿懷多福』、『遹駿有聲』、『遹求厥寧』、『遹觀厥成』、『遹追來孝』竝釋之爲『述』。今考之，皆承明上文之辭耳，非空爲辭助，亦非發語辭。而爲『遂』、爲『述』、爲『自』，緣辭生訓，皆非也。《説文》『欥，詮詞也。從欠從曰，曰亦聲』，引《詩》『欥求厥寧』。然則『欥』蓋本文，同聲假借，用『曰』、『聿』、『遹』三字。」引之案：《考正》説是也。班固《幽通賦》「聿中龢爲庶幾兮」，曹大家注曰：「聿，惟也。」《漢書·敘傳》作「欥」。《詩》中多借用「曰」字，如「曰至渭陽」《渭陽》，「曰爲改歲」、「曰殺羔羊」《七月》，「我東曰歸」《東山》，「曰歸曰歸」《采薇》，「其湛曰樂」、「曰既醉止」、「是曰既醉」《賓之初筵》，「見晛曰消」《角弓》，「曰嬪于京」《大明》，「曰止曰時」、「予曰有疏附，予曰有先後，予曰有奔奏，予曰有禦侮」《緜》，「昊天曰明」、「昊天曰旦」《板》，「曰喪厥國」《抑》，「曰求厥章」《載見》，皆當讀爲「歲聿其莫」之「聿」。故「曰爲改歲」，《漢書・食貨志》引作「聿」。「見晛曰消」，釋文引《韓詩》作「聿」，《荀子・非相篇》《漢書・劉向傳》引《詩》亦作「聿」。「曰嬪于京」，《爾雅・釋親》注引作「聿」。「予曰有奔奏，予曰有禦侮」，《楚辭・離騷》王注引作「聿」。「曰喪厥國」，釋文引《韓詩》作「聿」。「曰求厥章」，《墨子・尚賢篇》引作「聿」。而鄭箋於「我東曰歸」，則云：「我在東山常曰歸也。」案：「我東曰歸」，言我自東山而于歸也。鄭説失之。於「曰歸曰歸，歲亦莫止」則云：「曰女何時歸乎？亦歲晚之時乃得歸也。」案：「曰歸曰歸」，猶言于歸于歸。於「見晛曰消」則云：「至日將出，其氣始見，人則皆稱曰：雪今消釋矣。」案：「見晛曰消」，《韓詩》作「曣晛聿消」，云：「曣晛，日出也。」《荀子》作「宴然聿消」。聿，於也。言日出則雪於是消釋也。作「曰」者，借字耳。於「曰止曰時」，則云：「曰可止居於是。」案：「時」亦「止」也。「曰止曰時」，猶言「爰居爰處」，古人自有複語耳。《爾雅》：「爰，曰也。」上言「爰始爰謀」，下言「曰止曰時」，互文也。詳見《經義述聞》。於「予曰有疏附」四句則云：「文王之德所以至然者，我念之曰：此亦由有疏附、先後、奔奏、禦侮之臣力也。」案：予者，指文王而言，猶《大明》之言「維予侯興」也。言文王能興其業，於是有疏附、先後、奔奏、禦侮之臣也。於「昊天曰明」、「昊天曰旦」則云：「昊天在上，人仰之，皆謂之明。」案：「昊天曰明」、「昊天曰旦」，猶言昊天惟明，昊天惟旦。「曰」與「聿」同。故曹大家云：「聿，惟也。」蓋未達假借之義，而經文遂詰籥爲病矣。

安　案

《易·同人》正義曰：「安，猶何也。」顔師古注《漢書·吴王濞傳》曰：「安，焉也。」宣十二年《左傳》曰：「暴而不戢，安能保大？猶有晉在，焉得定功？所違民欲猶多，民何安焉？」「安」、「焉」，亦「何」也，互文耳。

安，猶「於」也。《大戴禮·用兵篇》曰：「古之戎兵，何世安起？」安，猶「於」也。何世於起，言起於何世也。此倒句也。「安」、「焉」聲相近。《墨子·非命篇》曰：「何書焉存？」文義與此同。《魏策》曰：「君其自爲計，且安死乎？安生乎？安窮乎？安貴乎？」言於死、於生、於窮、於貴也。鮑彪注：「問何所安。」失之。

安，猶「於是」也，「乃」也，「則」也。字或作「案」，或作「焉」，其義一也。其作「安」者，《吴語》曰：「王安挺志，一曰惕，一曰留，以安步王志。」言王乃寬志以行，疾徐如意也。韋注曰：「挺，寬也。惕，疾也。留，徐也。步，行也。」又曰：「王安厚取名而去之。」言王乃厚取名而去之也。《老子》曰：「往而不害，安平太。」言往而不害，乃得平泰也。《管子·大匡篇》曰：「必足三年之食，安以其餘脩兵革。」言有三年之食，乃以其餘脩兵革也。尹知章以「安」字絶句，注曰：「有三年食，然後可安。」失之。此家大人説，下同。《内業篇》曰：「精存自生，其外安榮。」言精生於中，其外乃榮也。尹注訓「安」爲「静」，失之。《山國軌篇》曰：「民衣食而繇，與「傜」同。下安無怨咎。」言下乃無怨咎也。又《地員篇》曰：「其陰則生之楂梨，其陽安樹之五麻。」「安」與「則」相對爲文，「安」亦「則」也。言其陽則樹之五麻也。今本「安」上又有「則」字，乃後人不曉文義而妄加之。又曰：「其山之淺，有蘢與斥，羣木安逐。」安，於是也。《爾雅》曰：「逐，彊也。」言羣木於是彊盛也。尹注以「安」爲「和易」，失之。又曰：「羣藥安生。」又曰：「羣藥安聚。」又曰：「羣木安逐，鳥獸安施。」《墨子·尚賢篇》曰：「若飢則得食，寒則得衣，亂則得治，此安生生。」安，猶「乃」也。言如此乃得生生也。《非樂篇》曰：「然即「即」與「則」同。《墨子》「則」字多作「即」。當爲之撞巨鍾，擊鳴鼓，彈琴瑟，吹竽笙而揚干戚，民衣食之財將安可得而具乎？即我以爲未必然也。」言衣食之財，將於是可得而具也。《荀子·勸學篇》曰：「上不能好其人，下不能隆禮，安特將學雜識志，「志」即「識」字也。「識」、「志」二字，當衍其一。順《詩》《書》而已耳。」安，猶「則」也。言既不能好其人，又不能隆禮，則但學雜識、順《詩》《書》而已也。楊倞注曰：「安，語助。或作『安』，或作『案』，《荀子》多用此字。《禮記·三年問》作『焉』。《戰國策》：謂趙王曰：『秦與韓爲上交，秦禍案移於梁矣。』『秦與梁爲上交，秦禍案攘於趙矣。』《吕氏春秋》：吴起謂商文曰：『今日置質爲臣，其主安重；釋璽辭官，其主安輕。』蓋當時人通以『安』爲語助。」《仲尼篇》曰：「委然成文以示之天下，而暴國安自化矣。」言暴國於是自化也。又曰：「文王誅四，武王誅二，周公卒業。至於成王，則安無誅矣。」言至於成王，則於是無誅也。今本「安」下有「以」字，乃後人不曉文義而妄加之。《大略篇》曰：「至成、康則案無誅已。」是其證。《王霸篇》曰：「身不能，不知恐懼而求能者，安唯便僻、左右、親比己者之用。」言於是唯便僻、左右是用也。又曰：「先義而後利，安不卹親疏，不卹貴賤，唯誠能之求。」言於是不卹親疏貴賤，而但求能者也。《正論篇》曰：「德明威積，海内之民，莫不願得以爲君師。然而暴國獨侈，安能誅之。」能，猶「乃」也。「安」、「焉」聲相近，「能」、「乃」聲相近。「安能」，即《楚詞》之「焉乃」也。互見「焉」字「能」字下。言海内莫不服從，而暴國獨侈然自大，於是乃誅之也。又曰：「於是焉桀、紂羣居，而盜賊擊奪以危上矣。安禽獸行，虎狼貪，故脯巨人而炙嬰兒矣。」「安」亦「於是」也，互文耳。《呂氏春秋・執一篇》曰：「今日置質爲臣，其主安重。今日釋璽辭官，其主安輕。」言有是臣，則主爲之重；無是臣，則主爲之輕也。《魏策》曰：「犀首得見齊王，因久坐，句安從容談。」言犀首見齊王而久坐，於是從容與王談也。其作「案」者，《逸周書・武寤篇》曰：「約期于牧，案用師旅。」言約期於牧野，於是用師旅也。《荀子・榮辱篇》曰：「故先王案爲之制禮義以分之。」言於是制禮義也。《王制篇》曰：「權謀傾覆之人退，則賢良知聖之士案自進矣。」言於是自進也。《臣道篇》曰：「是案曰是，非案曰非。」言是則曰是，非則曰非也。《正論篇》曰：「今子宋子案不然。」言今子宋子則不然也。《荀子》中用「案」字者甚多，今不具載。《趙策》曰：「秦與韓爲上交，秦禍案移於梁矣。」言秦禍於是移於梁也。又曰：「秦按攻魏。」言秦於是攻魏也。「按」與「案」同。下文「君按救魏」、「秦按爲義」，義竝與此同。今本作「秦按兵攻魏」，「兵」字乃後人所加。辯見《讀書雜志》。其作「焉」者，見「焉」字下。

安，焉也，然也。《荀子・榮辱篇》曰：「俄則屈安窮矣。」言屈焉窮也。屈焉，窮貌也。楊注曰：「安，語助，猶言屈然窮矣。」

焉《顏氏家訓・音辭篇》曰：「諸字書『焉』字，鳥名，或云語詞，皆音於愆反。自葛洪《要用字苑》分『焉』字音訓：若訓『何』訓『安』，當音於愆反，『於焉逍遥』、『於焉嘉客』、『焉用佞』、『焉得仁』之類是也。若送句及助詞，當音矣愆反，『故稱龍焉』、『故稱血焉』、『有民人焉』、『有社稷焉』、『託始焉爾』、『晉、鄭焉依』之類是也。」案：《禮記・三年問》「先王焉爲之立中制節」，《荀子・禮論篇》「焉」作「安」。「安」、「於」一聲之轉，則助詞之「焉」亦可讀於愆反，不必訓「何」訓「安」而後讀於愆反也。或讀矣愆反者，方俗語有輕重，而義則無分也。今仍從古讀。

《玉篇》曰：「焉，語已之詞也。」常語也。

《廣雅》曰：「焉，安也。」《論語・子路篇》皇侃疏曰：「焉，猶何也。」亦常語。

焉，狀事之詞也，與「然」同義。若《詩・小弁》曰「惄焉如擣」、《書・秦誓》曰「其心休休焉」之類是也。亦常語。

焉，比事之詞也，亦與「然」同義。若《大學》引《秦誓》曰「其如有容焉」之類是也。亦常語。

焉，猶「乎」也。《詩·杕杜》曰：「嗟行之人，胡不比焉？」《儀禮·喪服傳》曰：「野人曰：父母何算焉？」《禮記·檀弓》曰：「子何觀焉？」隱元年《左傳》曰：「君何患焉？」《周語》曰：「先王豈有賴焉？」莊三十二年《公羊傳》曰：「君何憂焉？」《論語·子路篇》曰：「又何加焉？」是也。又昭三十二年《左傳》：「遲速衰序，於是焉在。」《莊子·秋水篇》：「於是焉河伯欣然自喜。」「焉」字亦與「乎」同義。

焉，猶「也」也。昭三十二年《左傳》曰：「民之服焉，不亦宜乎！」莊元年《公羊傳》曰：「於其出焉，使公子彭生送之。於其乘焉，搚幹而殺之。」定四年曰：「於其歸焉，用事乎河。」是也。《禮記·檀弓》曰：「子夏曰：『先王制禮，而弗敢過也。』子張曰：『先王制禮，不敢不至焉。』」「焉」猶「也」耳。

焉，猶「於」也。哀十七年《左傳》曰：「裔焉大國，句滅之將亡。」裔，邊也。焉，於也。言邊於大國，將見滅而亡也。此顧氏寧人說。杜注既失其句，而又失其韻，無庸置辯。宣六年《公羊傳》曰：「勇士入其大門，則無人焉門者。入其閨，則無人焉閨者。」何注曰：「焉者，於也。是無人於門閨守視者也。」下文「上其堂，則無人焉」，注曰：「但言焉，絕語辭，堂不設守視人，故不言焉堂者。」今本正文作「則無人門焉者」、「則無人閨焉者」。注中「焉堂者」亦作「堂焉者」，皆後人不曉文義而妄乙之，此段氏若膺說。

《孟子·盡心篇》曰：「人莫大焉無親戚、君臣、上下。」言莫大於無親戚、君臣、上下也。

焉，猶「是」也。《玉篇》曰：「焉，是也。」《詩·防有鵲巢》曰：「誰侜予美，心焉忉忉。」言心是忉忉也。《巧言》曰：「往來行言，心焉數之。」言心是數之也。隱六年《左傳》曰：「我周之東遷，晉、鄭焉依。」《周語》作「晉、鄭是依」。襄三十年曰：「安定國家，必大焉先。」言必大是先也。昭九年曰：「使偪我諸姬，入我郊甸，則戎焉取之。」言郊甸之地，戎是取之也。正義曰：「焉，猶何也。若不由晉，則戎何得取周之地也？」失之。《吳語》曰：「今王播棄黎老，而孩童焉比謀。」言孩童是比謀也。

焉，猶「於是」也，「乃」也，「則」也。《聘禮記》曰：「及享，發氣，焉盈容。」言於是盈容也。於是，猶「乃」也，「則」也。《禮記·月令》曰：「命舟牧覆舟，五覆五反，乃告舟備具于天子，句天子焉始乘舟，薦鮪于寢廟。」言天子於是始乘舟也。今本「焉」字在「乃告舟備具于天子」下，《唐石經》同。家大人曰：「焉」字本在「始乘舟」之上。《吕氏春秋·季春篇》作「乃告舟備具于天子，天子焉始乘舟」。高注曰：「焉，猶於也。自冬至此，於是始乘舟。」《淮南·時則篇》及高注竝同。《宋書·禮志》引蔡氏《章句》曰：「陽氣和煖，鮪魚時至，將取以薦寢廟，故因是乘舟禊於名川也。」「焉」、「因」聲相近，「因是」二字，正釋「焉」字也。後之校《月令》者，不知「焉」訓爲「於」，遂移「焉」字於上句之末。校《吕氏春秋》者，又依誤本《月令》，於上句末增入「焉」字，唯下句「焉」字未删，則以高注訓「焉」爲「於」故也。《淮南》作「乃告具於天子」，無「焉」字。《月令》之文，亦無以「焉」字絕句者。《晉語》曰：「盡逐羣公子，乃立奚齊，句焉始爲令，國無公族焉。」言於是始爲令也。《墨子・魯問篇》曰：「公輸子自魯南游楚，句焉始爲舟戰之器。」言於是始爲舟戰之器也。《山海經・大荒西經》曰：「夏后開上三嬪于天，得《九辯》與《九歌》以下，此天穆之野，高二千仞，開焉始得歌《九招》。」今本「始」字在「得」字下，亦後人不曉文義而妄乙之。言於是始得歌《九招》也。此皆古人以「焉始」二字連文之證。又《祭法》曰：「壇墠有禱，句焉祭之。無禱，乃止。」言有禱則祭之也。家大人曰：「焉」字下屬爲句。「焉祭之」與「乃止」相對爲文。《三年問》曰：「故先王焉爲之立中制節。」言先王於是爲之立中制節也。《荀子・禮論篇》「焉」作「安」。「焉」、「安」古字通，亦通作「案」，説見「安」字下。又曰：「焉使倍之，故再期也。」言於是使倍之也。鄭注曰：「焉，猶然。」然者，乃也，義亦與「於是」同。《荀子》作「案使倍之」。《鄉飲酒義》曰：「焉知其能和樂而不流也。」又曰：「焉知其能弟長而無遺矣。」又曰：「焉知其能安燕而不亂也。」皆言於是知其能如此也。三「焉」字屬下讀，不屬上讀。上文「衆賓自入」及「不酢而降」句末皆無「焉」字，是其證。正義以「焉」字上屬，失之。此劉氏端臨説。《大戴禮・王言篇》曰：「七教脩，句焉可以守；三至行，句焉可以征。」言乃可以守，乃可以征也。《家語》作「然後可以守」、「然後可以征」。《曾子制言篇》曰：「有知，句焉謂之友；無知，句焉謂之主。」言有知則謂之友，無知則謂之主也。《齊語》曰：「五家爲軌，軌爲之長。十軌爲里，里有司。四里爲連，連爲之長。十連爲鄉，鄉有良人。句焉以爲軍令。」軍令，軍長也。言於是以爲軍長也。家大人曰：「焉」字屬下讀，不屬上讀。上文「里有司」下無「焉」字，是其證。韋注「良人，鄉大夫也」本在「良人」下，今本移置於「焉」字下，非。《吳語》：「王孫雒曰：『吾道路悠遠，必無有二命，句焉可以濟事。』」言必無有二命，乃可以濟事也。《山海經・大荒南經》曰：「雲雨之山，有木名曰欒，羣帝焉取藥。」言羣帝於是取藥也。《老子》十七章、二十三章竝云：「信不足，句焉有不信。」言信不足，於是有不信也。今本作「信不足焉有不信焉」，下「焉」字乃後人不曉文義而妄加之。辯見《讀書雜志》。《管子・幼官篇》曰：「勝無非義者，句焉可以爲大勝。」言勝無非義者，乃可以爲大勝也。《揆度篇》曰：「民財足，則君賦斂焉不窮。」言賦斂乃不窮也。《墨子・親士篇》曰：「分議者延延，而支苟二字有誤。者詻詻，句焉可以長生保國。」言如是，乃可以長生保國也。《兼愛篇》曰：「必知亂之所自起，句焉能治之。不知亂之所自起，則不能治。」言知亂之所自起，乃能治之也。《非攻篇》曰：「天乃命湯於鑣宮，用受夏之大命。湯焉敢奉率其衆以鄉有夏之境。」言湯既受天命，乃敢伐夏也。又曰：「王既已克殷，成帝之來，分主諸神，祀紂先王，通維四夷，而天下莫不賓，句焉襲湯之緒。」言武王乃襲湯之緒也。《列子・天瑞篇》曰：「其在死亡也，則之於息，句焉反其極矣。」言既往於息，乃反其極也。《莊子・則陽篇》曰：「君爲政，句焉勿鹵莽。治民，句焉勿滅裂。」言爲政則勿鹵莽，治民則勿滅裂也。《荀子・非相篇》曰：「面長三尺，句焉廣三寸。」言面長三尺，乃其廣僅三寸也。《議兵篇》曰：「若赴水火，入焉焦没耳。」言入乃焦没也。又曰：「凡人之動也，爲賞慶爲之，則見害傷焉止矣。」言見害傷乃止也。又曰：「其所以接下之百姓者，無禮義忠信，句焉慮率用賞慶刑罰埶詐險阸其下，獲其功用而已矣。」言無禮義忠信以接下，乃慮率用賞慶刑罰埶詐而已也。楊倞注曰：「焉慮，無慮，猶言大凡也。」案：焉，猶「乃」也。慮、率，皆謂大凡也。《漢書·賈誼傳》：「慮亡不帝制而天下自爲者。」顔師古注：「慮，大計也。」《楚辭·離騷》曰：「馳椒丘且焉止息。」言且於是止息也。《九章》曰：「焉洋洋而爲客。」又曰：「焉舒情而抽信兮。」義竝與「於是」同。又《離騷》曰：「皇天無私阿兮，覽民德焉錯輔。」《九辯》曰：「國有驥而不知乘兮，焉皇皇而更索。」義竝與「乃」同。又《招魂》曰：「巫陽焉乃下招曰。」言巫陽於是下招也。家大人曰：《招魂》曰：「巫陽對曰掌瘮，上帝其難從。若必筮予之，恐後謝之，不能復用。」王注曰：「謝，去也。巫陽言如必欲先筮問，求魂魄所在，然後與之，恐後世怠懈，必去卜筮之法，不能復脩用。」下文「巫陽焉乃下招曰」，注曰：「巫陽受天帝之命，因下招屈原之魂。」據此，則「不能復用」爲句，「巫陽焉乃下招曰」爲句，明矣。「焉乃」者，語詞，猶言巫陽於是下招耳。王注曰：「因下招屈原之魂。」「因」字正釋「焉乃」二字。今本皆以「不能復用巫陽焉」爲句，非也。「不能復用」者，謂不用卜筮，非謂不用巫陽。且「用」字古讀若「庸」，與「從」字爲韻。若以「不用巫陽」連讀，則既失其義，而又失其韻矣。《遠遊篇》曰：「焉乃逝以徘徊。」《列子·周穆王篇》曰：「焉迺觀日之所入。」此皆古人以「焉乃」二字連文之證。又案僖十五年《左傳》「晉於是乎作爰田」、「晉於是乎作州兵」，《晉語》作「焉作轅田」、「焉作州兵」。《西周策》「君何患焉」，《史記・周本紀》作「君何患於是」。是「焉」與「於是」同義。莊八年《公羊傳》曰：「吾將以甲午之日，然後祠兵於是。」《管子・小問篇》曰：「且臣觀小國諸侯之不服者，唯莒於是。」是「於是」與「焉」同義。《荀子・禮論篇》「三者偏亡，句焉無安人」，《史記・禮書》「焉」作「則」。《老子》第十三章「故貴以身爲天下，則可寄天下」，《淮南・道應篇》引此「則」作「焉」。是「焉」與「則」亦同義。後人讀周、秦之書，但知「焉」爲絶句之詞，而不知其更有他義，於是或破其句，或倒其文，而《禮記》《國語》《公羊》《老子》《楚辭》《山海經》諸書，皆不可讀矣。

焉爾，猶「於是」也。隱二年《公羊傳》曰：「託始焉爾。」何注曰：「焉爾，猶於是也。」

爲

爲，曰也。桓四年《穀梁傳》曰「一爲乾豆，二爲賓客，三爲充君之庖」，《公羊傳》「爲」作「曰」是也。

爲，猶「以」也。《詩・十月》曰：「胡爲我作，不即我謀？」隱元年《公羊傳》曰：「曷爲先言王而後言正月？」四年《穀梁傳》曰：「何爲貶之也？」《論語・先進篇》曰：「由之瑟，奚爲於某之門？」高誘注《吕氏春秋·期賢篇》曰：「於，猶在也。」言由之瑟，何以在我之門也。「胡爲」、「曷爲」、「何爲」、「奚爲」，皆言「何以」也。隱三年《公羊傳》曰：「先君之所爲不與臣而納國乎君者。」僖十年《穀梁傳》曰：「里克所爲弑者。」《趙策》曰：「所爲見將軍者。」皆言「所以」也。故《史記·楚世家》曰「秦之所爲重王者」，《魯仲連傳》曰「秦所爲急圍趙者」，《秦策》《趙策》竝作「所以」。

爲，猶「用」也。桓六年《左傳》曰：「在我而已，大國何爲？」言大國何用也。《吴語》曰：「危事不可以爲安，死事不可以爲生，則無爲貴智矣。」言無用貴智也。成七年《穀梁傳》曰：「雩不月而時，非之也，冬無爲雩也。」言無用雩也。

爲，猶「將」也。《孟子·梁惠王篇》曰：「克告於君，君爲來見也。」趙注曰：「君將欲來。」是也。《史記·盧綰傳》曰：「盧綰妻子亡降漢，會高后病不能見，舍燕邸，爲欲置酒見之。高后竟崩，不得見。」言高后將欲置酒見之，會高后崩，不得見也。《衛將軍驃騎傳》曰：「驃騎始爲出定襄，當單于。捕虜，虜言單于東，乃更令驃騎出代郡。」言始將出定襄，後更出代郡也。

家大人曰：爲，猶「如」也，假設之詞也。《晉語》：「叔向曰：『荆若襲我，是自背其信而塞其忠也。爲此行也，荆敗我，諸侯必叛之。』」「爲」猶「如」也。言如此行也，而荆敗我，則諸侯必叛之也。今本無「爲」字，乃後人不曉古義而妄删之，據宋明道本補。《管子·戒篇》曰：「夫江、黄之國近於楚，爲臣死乎，君必歸之楚而寄之。」「爲」猶「如」也。臣，管子自謂也。言如臣死，則君必歸江、黄於楚也。尹知章注曰：「二國豈爲齊臣而死乎？」非是。《列子·説符篇》曰：「孫叔敖戒其子曰：『爲我死，王則封女，女必無受利地。』」《吕氏春秋·異寶篇》同。《吕氏春秋·長見篇》曰：「臣之御庶子鞅，願王以國聽之也。爲不能聽，勿使出境。」《魏策》同。《韓子·内儲説篇》曰：「王甚喜人之掩口也，爲見王，必掩口。」《楚策》同。《顯學篇》曰：「今之新辯，濫乎宰予。而世主之聽，眩乎仲尼。爲悦其言，因任其身，則焉得無失乎？」《秦策》曰：「中國無事於秦，則秦且燒焫獲君之國。中國爲有事於秦，則秦且輕使重幣，而事君之國也。」又曰：「爲我葬，必以魏子爲殉。」上「爲」字，如也。又曰：「是楚與三國謀出秦兵矣，秦爲知之，必不救也。」《趙策》曰：「魏使人因平原君請從於趙，三言之，趙王不聽。出遇虞卿，曰：『爲入，必語從。』」《韓策》曰：「韓爲不能聽我，鮑本如此，姚本作「縱韓爲不能聽我」，非是。辯見《讀書雜志》。韓之德王也，必不爲鴈行以來。爲能聽我，絶和於秦，秦必大怒以厚怨於韓。」又曰：「料大王之卒，悉之不過三十萬，爲除守徼亭障塞，見卒不過二十萬而已。」《史記·宋世家》曰：「今誠得治國，國治身死不恨。爲死終不治，不如去。」凡言「爲」者，皆「如」也。

爲，猶「使」也，亦假設之詞也。《孟子·離婁篇》曰：「苟爲不畜，終身不得。」又曰：「苟爲無本，其涸也，可立而待也。」《告子篇》曰：「苟爲不熟，不如荑稗。」《莊子・人間世篇》曰：「苟爲不知其然也，孰知其所終？」皆言「苟使」也。

家大人曰：爲，猶「於」也。莊二十二年《左傳》曰：「竝于正卿。」釋文曰：「于，本或作爲。」「于」、「於」古字通。《西周策》曰「君不如令弊邑陰合爲秦」，鮑本如是，姚本「爲」字依《史記》作「於」。《史記・孟嘗君傳》「爲」作「於」。《晉語》曰：「稱爲前世。」韋注曰：「言見稱譽於前世。」是「爲」即「於」也。又僖二十年《穀梁傳》曰：「謂之新宮，則近爲禰宮。」言近於禰宮也。《晏子・雜篇》曰：「爲其來也，臣請縛一人過王而行。」言於其來也。《秦策》曰：「朝爲天子。」鮑本「朝」上增「一」字，非是。辯見《讀書雜志》。言朝於天子也。《竹書紀年》曰：「秦穆公帥師送公子重耳，圍令狐，桑泉、臼衰皆降爲秦師。」言降於秦師也。

爲，猶「則」也。《莊子・寓言篇》曰：「與己同則應，不與己同則反。同於己爲是之，異於己爲非之。」「爲」亦「則」也。

家大人曰：爲，猶「與」也。《管子・戒篇》曰：「自妾之身之不爲人持接也。」尹知章注曰：「爲，猶與也。」《孟子・公孫丑篇》曰：「不得不可以爲悅，無財不可以爲悅，得之爲有財，古之人皆用之。」言得之與有財也。《齊策》曰：「犀首以梁爲齊戰於承匡而不勝。」言以梁與齊戰也。《韓策》曰：「嚴仲子辟人，因爲聶政語。」言與聶政語也。《韓詩外傳》曰：「寡人獨爲仲父言，而國人知之，何也？」言獨與仲父言也。《史記・淳于髡傳》曰：「豈寡人不足爲言邪？」言不足與言也。《李斯傳》曰：「斯其猶人哉，安足爲謀？」言安足與謀也。

家大人曰：爲，猶「有」也。《孟子・滕文公篇》曰：「夫滕，壤地褊小，將爲君子焉，將爲野人焉。」趙注曰：「爲，有也。雖小國，亦有君子，亦有野人也。」又曰：「夷子憮然爲閒。」注曰：「爲閒，有頃之閒也。」《盡心篇》曰：「爲閒不用，則茅塞之矣。」注曰：「爲閒，有閒也。」《晏子・外篇》曰：「孔子之不逮舜爲閒矣。」爲閒，亦有閒也。故《莊子・大宗師篇》曰：「莫然有閒。」釋文曰：「本亦作『爲閒』。」又僖三十三年《左傳》曰：「秦則無禮，何施之爲？」言何施之有也。《漢書・張湯傳》曰「何厚葬爲」，《漢紀》作「何厚葬之有」。成二年《傳》曰：「臣，治煩去惑者也，是以伏死而争。今二子者，君生則縱其惑，死又益其侈，是棄君於惡也，何臣之爲？」言何臣之有也。杜注曰：「若言何用爲臣。」失之。十二年《傳》曰：「若讓之以一矢，禍之大者，其何福之爲？」言何福之有也。桓六年《左傳》曰：「其何福之有？」昭元年《傳》曰：「諸侯之會，衛社稷也。我以貨免，魯必受師，是禍之也，何衛之爲？」言何衛之有也。十三年《傳》曰：「國不競亦陵，何國之爲？」言何國之有也。又曰：「若曰無罪而惠免之，諸侯不聞，是逃命也，何免之爲？」言何免之有也。《周語》曰：「余敢以私勞變前之大章，以忝天下，其若先王與百姓何？何政令之爲也？」言何政令之有也。韋注曰：「何以復臨百姓而爲政令乎？」失之。《晉語》曰：「若有違質，教將不入，其何善之爲？」言何善之有也。韋注：「言不能使善。」失之。又曰：「今范中行氏之臣，不能匡相其君，使至於難。君出在外，又不能定而棄之。則何良之爲？」言何良之有也。《楚語》曰：「若於目觀則美，縮於財用則匱，是聚民利以自封而瘠民也，胡美之爲？」言胡美之有也。又曰：「君而討臣，何讎之爲？」言何讎之有也。又曰：「若夫白珩，先王之玩也，何寶之爲？」宋明道本作「何寶之焉」。「焉」乃「爲」字之誤。上篇「胡美之爲」，宋本「爲」誤作「焉」，即其證。今本作「何寶焉」，删去「之」字，尤非。言何寶之有也。《孟子·滕文公篇》曰：「夫夷子信以爲人之親其兄之子，爲若親其鄰之赤子乎？」言有若親其鄰之赤子也。《盡心篇》曰：「何不使彼爲可幾及，而日孳孳也？」言使彼有可幾及也。

家大人曰：爲，猶「謂」也。宣二年《穀梁傳》曰：「趙盾曰：『天乎天乎！予無罪。孰爲盾而忍弒其君者乎？』」言孰謂盾忍弒其君者也。《公羊傳》曰：「趙盾曰：『吾不弒君，誰謂吾弒君者乎？』」是其證。范注訓「爲」爲「作」，失之。辯見《經義述聞》。《孟子·公孫丑篇》曰：「管仲，曾西之所不爲也，而子爲我願之乎？」言子謂我願之也。《告子篇》曰：「爲是其智弗若與？」「爲」與「謂」同義。趙注曰：「爲是謂其智不如也。」分「爲」與「謂」爲二，失之。曰：非然也。」言謂是其智弗若也。又曰：「《書》曰：『享多儀，儀不及物，曰不享，惟不役志于享。』爲其不成享也。」言《書》之所言，謂其不成享也。《禮記·文王世子》曰：「父在斯爲子，君在斯謂之臣。」「爲」下當有「之」字，寫者脱去耳。《淮南·詮言篇》曰：「動而爲之生，死而謂之窮。」《説苑·臣術篇》曰：「從命利君爲之順，從命病君爲之諛，逆命利君謂之忠，逆命病君謂之亂。」「爲之」、「謂之」互用，是其例也。孔穎達不能釐正而曲爲之説，非是。爲，猶「謂」也。《莊子·天地篇》曰：「四海之內共利之之爲悦，共給之之謂安。」《讓王篇》曰：「君子通於道之謂通，窮於道之謂窮。今某抱仁義之道，以遭亂世之患，其何窮之爲？」「之爲」猶「之謂」也，故「其何窮之爲」，《吕氏春秋·慎人篇》作「何窮之謂」。《大戴禮記·文王官人篇》曰「此之爲考志也」，《逸周書·官人篇》「爲」作「謂」。莊二十二年《左傳》曰「是謂觀國之光」，《史記·陳杞世家》「謂」作「爲」。《墨子·公輸篇》曰「宋所爲無雉兔鮒魚者也」，《宋策》「爲」作「謂」。

爲，語助也。《禮記·曾子問篇》正義引一解曰：「爲是助語。」《大戴禮記·五帝德篇》曰：「夫黃帝尚矣，女何以爲？句先生難言之。」「女何以爲」絶句。以，用也。爲，語助也。言黃帝之事遠矣，汝何用問也。王肅作「先生難言之」自爲一句。《史記·五帝紀贊》曰：「百家言黃帝，其文不雅馴，薦紳先生難言之。」義本於此也。《家語》，乃用其文而改之曰：「上世黃帝之問，將謂先生難言之故乎？」則既失其義而又失其句矣。又《四代篇》及《論語·子張篇》竝曰：「無以爲也。」以，用也。爲，語助。《大戴禮記》曰：「公曰：『請問民徵？』子曰：『無以爲也，難行。』」言無用問也。《論語》曰：「叔孫武叔毁仲尼，子貢曰：『無以爲也。』」言無用毁也。皇侃《論語疏》曰：「使無以爲訾毁。」邢昺正義曰：「無用爲此毁訾。」皆誤解「爲」字。襄十七年《左傳》曰：「是之不憂，而何以田爲？」二十二年《傳》曰：「雨行，何以聖爲？」昭二十八年《傳》曰：「三代之亡，共子之廢，皆是物也。女何以爲哉？」以，用也。言女何用是物哉。爲，語助。《晉語》曰：「將何治爲？」《楚語》曰：「亡人得生，又何不來爲？」定十年《穀梁傳》曰：「何爲來爲？」下「爲」字語助。《論語·顔淵篇》曰：「何以文爲？」皇侃疏曰：「何必用於文華乎？」是「爲」爲語助也。邢昺正義曰：「何用文章乃爲君子。」非是。《子路篇》曰：「雖多，亦奚以爲？」以，用也。爲，語助。言誦詩雖多，亦何用也。皇侃疏曰：「亦何所爲用哉？」失之。《季氏篇》曰：「何以伐爲？」以，用也。言何用伐也。《孟子·滕文公篇》曰：「惡用是鶃鶃者爲哉？」《萬章篇》曰：「我何以湯之聘幣爲哉？」《莊子·逍遥遊篇》曰：「奚以之九萬里而南爲？」以，用也。之，是也。言何用是九萬里也。又曰：「予無所用天下爲。」《楚詞·漁父篇》曰：「何故深思高舉，自令放爲？」《荀子·議兵篇》曰：「然則又何以兵爲？」《吕氏春秋·異寳篇》曰：「今我何以子之千金劒爲乎？」《韓子·説林篇》曰：「奚以薛爲？」《趙策》曰：「君何以疵言告韓、魏之君爲？」皆是也。

謂

家大人曰：謂，猶「爲」也。此「爲」字讀平聲。《易·小過》上六曰：「是謂災眚。」《詩·賓之初筵》曰：「醉而不出，是謂伐德。」是謂，猶「是爲」也。莊二十二年《左傳》「是謂觀國之光」，《史記·陳杞世家》作「是爲」，是其證也。又僖五年《傳》曰：「一之謂甚，其可再乎？」言一之爲甚也。昭元年曰：「此之謂多矣。若能少此，吾何以得見？」言此之爲多也。十年曰：「佻之謂甚矣，而壹用之。」二十一年曰：「登之謂甚，吾又重之。」《周語》曰：「守府之謂多，胡可興也？」《晉語》曰：「八年之謂多矣，何以能久？」義竝同也。又《大戴禮·少閒篇》曰：「何謂其不同也？」元本如是，明本皆改「謂」作「爲」，失之。《韓詩外傳》曰：「何謂而泣也？」《淮南·人閒篇》曰：「國危而不安，患結而不解，何謂貴智？」《吴語》曰：「危事不可以爲安，死事不可以爲生，則無爲貴智矣。」竝與「何爲」同義。《楚策》曰：「人皆以謂公不善於富摯。」與「以爲」同義。故《説苑·君道篇》「則何爲不具官乎」，《晏子春秋·問篇》「爲」作「謂」。《吕氏春秋·精諭篇》「胡爲不可」，《淮南·道應篇》「爲」作「謂」。《漢書·英布傳》「胡爲廢上計而出下計」，《史記》「爲」作「謂」。「爲」、「謂」一聲之轉，故「爲」可訓「謂」，「謂」亦可訓「爲」。互見「爲」字下。

家大人曰：謂，猶「爲」也。此「爲」字讀去聲。《史記·魯仲連傳》曰：「所謂貴於天下之士者，爲人排患釋難解紛亂而無取也。」所謂，所爲也。《鹽鐵論·憂邊篇》曰：「有一人不得其所，則謂之不樂。」謂之，爲之也。故《吕氏春秋·恃君篇》「凡吾所爲爲此者」，《趙策》「所爲」作「所謂」。《史記·蕭相國世家》「上所爲數問君者」，《漢書》「爲」作「謂」。《周本紀》「請爲王聽東方之變」，《東周策》「爲」作「謂」。《大戴禮·朝事篇》曰：「禮樂謂之益習，德行謂之益脩，高安朱氏本改兩「謂」字作「爲」，失之。天子之命爲之益行。」「謂」亦「爲」也，互文耳。

家大人曰：謂，猶「與」也。《史記·鄭世家》曰：「晉欲得叔詹爲僇，鄭文公恐，不敢謂叔詹言。」言不敢與叔詹言之也。《漢書·高祖紀》「高祖乃書帛射城上，與沛父老」，《史記》「與」作「謂」。「與」、「謂」亦一聲之轉，故「與」可訓「謂」，「謂」亦可訓「與」。互見「與」字下。

家大人曰：謂，猶「如」也，「奈」也。《齊策》曰：「雖惡於後王，吾獨謂先王何乎？」高注曰：「謂，猶奈也。」《漢書·禮樂志〈郊祀歌〉》曰：「偏觀是邪謂何？」晉灼注曰：「謂何，當如之何也。」「如之何」，即奈之何也。《詩·行露》曰：「豈不夙夜，謂行多露！」謂，猶「奈」也。言豈不欲夙夜而行，奈道中多露何哉。「謂何」而但曰「謂」，猶「奈何」而但曰「奈」也。《淮南·兵略篇》曰：「唯無形者，無可奈也。」楊雄《廷尉箴》曰：「惟虐惟殺，人莫予奈。」奈，即奈何也。《正義》以「以爲」二字代「謂」字，未合語意。《北門》曰：「天實爲之，謂之何哉？」言奈之何也。箋曰：「謂，勤也。我勤身以事君，何哉？」失之。《節南山》曰：「赫赫師尹，不平謂何？」言師尹爲政不平，其奈之何也。箋曰：「謂何，猶云何也。」正義曰：「汝居位爲政不平，欲云何乎？」未合語意。僖二十八年《左傳》曰：「救而棄之，謂諸侯何？」言奈諸侯何也。成十六年曰：「若諸侯何？」「若」亦「奈」也。成二年曰：「以師伐人，遇其師而還，將謂君何？」言將奈君何也。僖十五年曰：「將若君何？」十七年曰：「君實有臣而殺之，其謂君何？」言其奈君何也。《魏策》曰：「殺之亡之，無謂天下何？內之，無若群臣何？」若，亦奈也。言無奈天下何、無奈群臣何也。《史記·孝文紀》曰：「是重吾不德也，謂天下何？」言奈天下何也。索隱曰：「言何以謂於天下。」失之。「謂」與「如」、「若」、「奈」竝同義。《史記·禮書》曰：「孝文以爲繁禮飾貌，無益於治，躬化謂何耳。」謂何，如何也。言禮貌不足恃，但問躬化如何耳。《儒林傳》曰：「爲治者不在多言，顧力行何如耳。」

經傳釋詞弟三

惟　唯　維　雖

惟，發語詞也。《書·皋陶謨》曰："惟帝其難之。"《洪範》曰："惟十有三祀。"哀六年《左傳》引《夏書》曰："惟彼陶唐。"是也。字或作"唯"，或作"維"。家大人曰：亦作"雖"。文十七年《左傳》曰："雖敝邑之事君，何以不免？"言惟敝邑之事君也。又曰："雖我小國，則蔑以過之矣。"言惟我小國也。隱十一年《傳》："唯我鄭國之有請謁焉。"文義相似。昭九年曰："伯父若裂冠毁冕，拔本塞原，專棄謀主，雖戎狄其何有余一人。"言伯父猶暴蔑宗周，惟彼戎狄，於余一人何有也。杜注："伯父猶然，則雖戎狄無所可責。"文義未安。《墨子·尚賢篇》曰："故唯昔三代聖王堯、舜、禹、湯、文、武之所以王天下，正諸侯者。"又曰："故雖昔者三代暴王桀、紂、幽、厲之所以失損其國家，傾覆其社稷者。""雖"即"唯"也。"唯"、"雖"古字通，互見"雖"字下。其在句中助語者，《皋陶謨》曰："百工惟時。"《大誥》曰："予惟小子。"《召誥》曰："無疆惟休，亦無疆惟恤。"是也。

惟，獨也。常語也。或作「唯」、「維」。家大人曰：亦作「雖」。《莊子・庚桑楚篇》曰：「唯蟲能蟲，唯蟲能天。」釋文曰：「唯，一本作雖。」又《詩・抑》曰：「女雖湛樂從，弗念厥紹。」言女惟湛樂之從也。《書・無逸》曰：「惟耽樂之從。」文義正與此同。箋曰：「女君臣雖好樂嗜酒而相從，不當念繼女之後，人將效女所爲乎？」失之。《管子・君臣篇》曰：「故民迂則流之，民流通則迂之。決之則行，塞之則止。雖有明君能決之，又能塞之。」言惟有明君能如此也。《楚辭・離騷》曰：「余雖脩姱以鞿羈兮。」今本「脩」上有「好」字，臧氏用中以王《注》校之，知爲衍文。説見《讀書雜志》。言余惟有此脩姱之行，以致爲人所係累也。王注：「言己雖有絶遠之智，姱好之姿，然已爲讒人所鞿羈而係累矣。」失之。《楚策》曰：「雖無出兵甲，席卷常山之險，折天下之脊，天下後服者先亡。」言秦惟無出兵，出兵則天下不能當也。《莊子・人閒世篇》曰：「若唯無詔，王公必將乘人而鬬其捷。」《史記・留侯世家》曰：「楚唯無彊，六國立者復橈而從之。」文義竝與此同。

薛綜注《東京賦》曰：「惟，有也。」《書・酒誥》曰：「我聞惟曰。」「我聞亦惟曰。」皆言我聞有此語也。《詩・六月》曰：「比物四驪，閑之維則。」言閑之有法也。

惟，猶「乃」也。《書・盤庚》曰：「非予自荒兹德，惟女含德，不惕予一人。」《詩・文王》曰：「周雖舊邦，其命維新。」是也。《文選・甘泉賦》李善注曰：「惟，是也。」《書・康誥》曰：「人有小罪，非眚，乃惟終。」又曰：「乃有大罪，非終，乃惟眚災。」《多方》曰：「非我有周秉德不康寧，乃惟爾自速辜。」是也。

《玉篇》曰：「惟，爲也。」《書・皋陶謨》曰：「萬邦黎獻，共惟帝臣。」某氏傳曰：「萬國衆賢，共爲帝臣。」《酒誥》曰：「我民用大亂喪德，亦罔非酒惟行。越小大邦用喪，亦罔非酒惟辜。」傳曰：「亦無非以酒爲行。」「亦無不以酒爲罪。」

惟，猶「以」也。《書・盤庚》曰：「亦惟女故，以丕從厥志。」《詩・狡童》曰：「維子之故，使我不能餐兮。」僖二年《左傳》曰：「冀之既病，則亦唯君故。」五年曰：「桓、莊之族何罪，而以爲戮，不唯偪乎？」是也。

惟，猶「與」也，「及」也。《詩・無羊》曰：「牧人乃夢，衆維魚矣，旐維旟矣。」箋曰：「牧人乃夢見人衆相與捕魚，又夢見旐與旟。」是下「維」字訓爲「與」，與上「維」字異義也。《靈臺》曰：「虡業維樅，賁鼓維鏞。」下「維」字亦當訓爲「與」，謂賁鼓與鏞也。正義曰：「懸賁之大鼓及維鏞之大鐘。」於「維」上加「及」字以釋之，不知「維」即「及」也。又《書・禹貢》曰：「齒革羽旄惟木。」《酒誥》曰：「百僚庶尹惟亞，惟服宗工，越百姓里居。」《多方》曰：「告爾四國多方，惟爾殷侯尹民。」下文曰：「告爾有方多士，暨殷多士。」文義正與此同。《魯語》曰：「與百官之政事師尹，維旅牧相，宣序民事。」「政」與「正」通。爲長謂之正，任職謂之事。政、事、師、尹、旅、牧、相，皆官名。維，與也。謂百官之政事師尹與旅牧相也。韋注引三君云：「維，陳也。旅牧相，皆百官政事之所及也。」失之。辨見《經義述聞》。「惟」字並與「與」同義。

云　員

云，言也，曰也。常語也。

云，猶「是」也。《詩·正月》曰：「有皇上帝，伊誰云憎。」言伊誰是憎也。《何人斯》曰：「伊誰云從，維暴之云。」言伊誰是從也。毛傳曰：「云，言也。」此釋下「云」字，非釋上「云」字。言伊誰是從乎，維暴公之言也。鄭箋曰：「是言從誰生乎？」則誤訓上「云」字爲「言」矣。

家大人曰：云，猶「有」也。或通作「員」。《詩·玄鳥》箋曰：「員，古文云。」《廣雅》曰：「員、云，有也。」《文選·陸機〈荅賈長淵詩〉》注引應劭《漢書注》曰：「云，有也。」《書·秦誓》曰：「雖則員然。」今本「員」作「云」，乃衛包所改。茲據山井鼎《七經孟子考文》所引古本及《漢書》韋賢、李尋二傳注所引更正。言雖則有然也。某氏傳曰：「前雖有云然之過。」加「有」字於「云然」之上以釋之，不知「云」即「有」也。文二年《公羊傳》曰：「大旱之日短而云災，故以災書。此不雨之日長而無災，故以異書也。」「云災」與「無災」對文，是「云」爲「有」也。何注：「云，言也。言有災。」亦不知「云」即「有」也。楊倞注《荀子·非十二子篇》引《慎子》曰：「云能而害無能，則亂也。」言有能而害無能之人，則必亂也。又《荀子・儒效篇》曰：「故人無師無法而知則必爲盜，勇則必爲賊，云能則必爲亂；人有師有法而知則速通，勇則速威，云能則速成。」言無師無法而有能，則必爲亂；有師有法而有能，則其成必速也。楊注曰：「云能，自言其能也。」失之。《法行篇》曰：「曾子曰：『詩曰：轂已破碎，乃大其輻。事已敗矣，乃重大息。其云益乎？』」「云益」，有益也。

家大人曰：云，猶「或」也。「或」與「有」古同聲而通用，見「或」字「有」字下。故「云」訓爲「有」，又訓爲「或」。《書・秦誓》曰：「日月逾邁，若弗員來。」衛包改「員」爲「云」，今據《正義》及《七經孟子考文》更正。言若弗或來也。《詩・抑》曰：「無曰不顯，莫予云覯。」言莫予或覯也。《桑柔》曰：「民有肅心，荓云不逮。」言使或不逮也。又曰：「爲民不利，如云不克。」言如或不克也。以上三條，《正義》皆誤解「云」字。《魯語》曰：「帥大讎以憚小國，其誰云待之？」言誰或禦之也。韋注曰：「待，猶禦也。」《晉語》曰：「其誰云弗從？」言誰或不從也。韋注曰：「誰有不從？」「有」亦「或」也。又曰：「內外無親，其誰云救之？」言誰或救之也。韋注曰：「云，言也。」失之。《墨子・公孟篇》曰：「鳥魚可謂愚矣，禹、湯猶云因焉。」言鳥魚雖愚，禹、湯猶或因之也。上文曰：「今鳥聞熱旱之憂則高，魚聞熱旱之憂則下。當此，雖禹、湯爲之謀，必不能易矣。」

家大人曰：云，猶「如」也。「如」與「或」義相近。《列子・力命篇》曰：「管夷吾有病，小白問之曰：『仲父之病疾矣。不可諱，今本「不可」誤作「可不」。《莊子・徐無鬼篇》亦誤，今據張湛《注》

乙正。《管子·戒篇》《小稱篇》竝作「不可諱」。《魏策》曰：「公叔病即不可諱，將奈社稷何？」云至於大病，則寡人惡乎屬國而可？』」言如至於大病也。《禮記·檀弓》曰：「子之病革矣。如至乎大病，則如之何？」文義正與此同。張湛以「云」字屬上讀，失之。

家大人曰：云，猶「然」也。僖二十九年《左傳》：「介葛盧聞牛鳴，曰：『是生三犧，皆用之矣，其音云。』」言其音然也。《史記·周本紀》曰：「其色赤，其聲魄云。」言其聲魄然也。集解引馬注《太誓》曰：「魄然，安定意也。」《封禪書》曰：「秦文公獲若石云于陳倉北阪。」言若石然也。又曰：「若雄雉，其聲殷云。」言其聲殷然也。《漢書·郊祀志》顏注，以「云」爲傳聲之亂，則誤讀爲「紛紜」之「紜」矣。

云，發語詞也。《詩·卷耳》曰：「云何吁矣。」《簡兮》曰：「云誰之思？」《君子偕老》曰：「云如之何。」《風雨》曰：「云胡不夷？」《何人斯》曰：「云不我可。」《桑柔》曰：「云徂何往。」《雲漢》曰：「云我無所。」「云如何里。」是也。說者多訓「云」爲「言」，失之。

云，語中助詞也。《詩·雄雉》曰：「道之云遠，曷云能來？」言道之遠，何能來也。《四月》曰：「我日構禍，曷云能穀？」言何能穀也。《瞻卬》曰：「人之云亡。」言人之亡也。「云」皆語助耳。說者多訓爲「言」，失之。僖十五年《左傳》曰：「歲云秋矣。」成十二年曰：「日云莫矣。」亦以「云」爲語助。

云，語已詞也。《詩・出其東門》曰：「聊樂我員。」正義曰：「云、員，古今字，助句辭也。」《大戴禮・夏小正傳》曰：「蓋記時也云。」《禮記・樂記》曰：「故聖人曰禮樂云。」是也。

云爾、云乎，皆語已詞也。宣元年《公羊傳》曰：「猶曰無去是云爾。」隱元年《穀梁傳》曰：「猶曰取之其母之懷中而殺之云爾。」《論語・述而篇》曰：「不知老之將至云爾。」莊十四年《公羊傳》曰：「棗栗云乎，腶脩云乎。」《大戴禮・曾子天圓篇》曰：「而聞之云乎。」《論語・陽貨篇》曰：「玉帛云乎哉。」是也。

有

有，猶「或」也。故莊二十九年《穀梁傳》曰：「一有一亡曰有。」《易・姤》九五曰：「有隕自天。」言或隕自天也。《書・盤庚》曰：「乃有不吉不迪，顛越不恭，暫遇姦宄。」「乃有」，乃或也。《多士》曰：「朕不敢有後。」《孟子・梁惠王篇》引《書》曰：「天下曷敢有越厥志。」「敢有」，敢或也。「朕不敢有後」，言我奉天之命，遷爾於雒邑，不敢或後也。某氏傳曰：「不敢有後誅。」失之。《詩・載馳》曰：「大夫君子，無我有尤。」言無我或尤也。又《春秋》凡言「日有食之」者，皆謂日或食之也。「有」與「或」古同聲而義亦相通，詳見「或」字下。

有，猶「又」也。《詩・終風》曰：「終風且曀，不日有曀。」《文王》曰：「宣昭義問，有虞殷自天。」《既醉》曰：「昭明有融。」又曰：「令終有俶。」《儀禮・士相見禮》曰：「某子命某見，吾子有辱。」箋、注竝曰：「有，又也。」「有」、「又」古同聲，故「又」字或通作「有」。《易・繫辭傳》：「履信思乎順，又以尚賢也。」鄭、虞本「又」竝作「有」。《考工記・弓人》：「量其力有三鈞。」《禮記・內則》：「三王有乞言。」鄭注竝曰：「有，讀爲又。」《易・蠱・彖傳》曰：「終則有始，天行也。」言終則又始也。王弼注：「終則復始。」《禮記・玉藻》曰：「既搢必盥，雖有執於朝，弗有盥矣。」言搢笏之時既盥，則後雖有執事於朝，不須又盥也。《晉語》曰：「德廣賢至，有何患矣？」言又何患也。上文曰：「親以無災，又何患焉？」《管子・宙合篇》曰：「天地萬物之橐，宙合有橐天地。」言又橐天地也。《孟子・梁惠王篇》曰：「王曰：『若是其甚與？』曰：『殆有甚焉。』」言殆又甚也。《滕文公篇》曰：「逸居而無教，則近於禽獸，聖人有憂之。」言聖人又憂之也。「又」字承上文憂洪水而言。《莊子・徐無鬼篇》曰：「我則勞於君，君有何勞於我？」釋文：「勞，力報反。」言君又何勞於我也。《荀子・王霸篇》曰：「知者之知，固以多矣。「以」與「已」同。有以守少，能無察乎？愚者之知，固以少矣。有以守多，能無狂乎？」言又以守少，又以守多也。《呂氏春秋・胥時篇》曰：「王季歷困而死，文王苦之，有不忘羑里之醜。」言又不忘羑里之醜也。《秦策》曰：「齊、魏有何重於孤國也。」言又何重於孤國也。上文曰：「秦又何重孤國。」今之學者，但讀十有一月、十有二月之「有」爲「又」而他無聞焉，俗師失其讀也。「有」、

「又」古同聲，故「又」通作「有」，「有」亦通作「又」。《詩・臣工》曰：「嗟嗟保介，維莫之春，亦又何求？」言亦有何求也。正義曰：「亦有何所求施於民乎？」《周語》曰：「是三子也，吾又過於四之，無不及。」言有過之無不及也。又曰：「作又不節，害之道也。」言作有不節也。上文已言「作事不節」，此覆舉上文，不當言「又」，故知「又」爲「有」之借字。《荀子・議兵篇》曰：「人之情，雖桀、跖，豈又肯爲其所惡，賊其所好者哉？」「豈又」，豈有也。又《儀禮・鄉射禮記》：「唯君有射於國中。」古文「有」作「又」。《石鼓文》：「澫又小魚。」《詛楚文》：「又秦嗣王。」竝以「又」爲「有」。

家大人曰：有，猶「爲」也。《周語》曰：「胡有孑然其效戎狄也？」言胡爲其效戎狄也。《晉語》曰：「克國得妃，其有吉孰大焉。」言其爲吉孰大也。昭五年《左傳》曰：「其爲吉孰大焉。」《孟子・滕文公篇》曰：「人之有道也，飽食煖衣，逸居而無教，則近於禽獸。」言人之爲道如此也，若言「民之爲道也，有恒産者有恒心，無恒産者無恒心」矣。「爲」、「有」一聲之轉，故「爲」可訓爲「有」，「有」亦可訓爲「爲」。互見「爲」字下。

有，狀物之詞也。若《詩・桃夭》「有蕡其實」是也。他皆放此。

有，語助也。一字不成詞，則加「有」字以配之。若虞、夏、殷、周，皆國名，而曰有虞、有夏、有殷、有周，是也。凡國名之上加「有」字者放此。推之他類，亦多有此。故邦曰有邦，《書・

皋陶謨》曰：「亮采有邦。」又曰：「無教逸欲有邦。」家曰有家，《皋陶謨》曰：「夙夜浚明有家。」《易・家人》初九曰：「閑有家。」室曰有室，《立政》曰：「乃有室大競。」廟曰有廟，《易・萃》《渙》二卦《彖辭》竝曰：「王假有廟。」居曰有居，《書・盤庚》曰：「民不適有居。」方曰有方，《多方》曰：「告猷爾有方多士。」夏曰有夏，《君奭》曰：「尚克脩和我有夏。」濟曰有濟，僖二十一年《左傳》曰：「實司大皞與有濟之祀。」北曰有北，昦曰有昦，《詩・巷伯》曰：「投畀有北。」又曰：「投畀有昦。」帝曰有帝，昭二十九年《左傳》曰：「孔甲擾于有帝。」王曰有王，《書・召誥》曰：「有王雖小。」司曰有司，正曰有正，《酒誥》曰：「庶士有正，越庶伯君子。」僚曰有僚，《雒誥》曰：「伻嚮即有僚，明作有功。」民曰有民，《皋陶謨》曰：「予欲左右有民。」衆曰有衆，《湯誓》曰：「今爾有衆。」《盤庚》曰：「其有衆咸造。」幼曰有幼，《盤庚》曰：「無弱孤有幼。」政曰有政，《論語・爲政篇》引《書》曰：「友于兄弟，施于有政。」事曰有事，《易・震》六五曰：「无喪有事。」功曰有功，見上「有僚」下。比曰有比，《盤庚》曰：「曷不暨朕幼孫有比。」極曰有極，《洪範》曰：「皇建其有極。」又曰：「會其有極，歸其有極。」梅曰有梅，《詩》曰：「摽有梅。」的曰有的，《賓之初筵》曰：「發彼有的。」三宅曰三有宅，三俊曰三有俊，《書・立政》曰：「乃用三有宅，克即宅。曰三有俊，克即俊。」三事曰三有事，《詩・十月之交》曰：「擇三有事。」説經者未喻屬詞之例，往往訓爲「有無」之「有」，失之矣。

或

《易・乾・文言》曰：「或之者，疑之也。」《管子・白心篇》曰：「夫或者何？若然者也。」《墨子・小取篇》曰：「或也者，不盡然也。」此常語也。

或，猶「有」也。《尚書古義》曰：「無有作好，遵王之道。無有作惡，遵王之路。《呂覽》引此『有』作『或』。《貴公篇》高誘曰：『或，有也。』古『有』字通作『或』。《商書》曰：『殷其弗或亂正四方。』《多士》云：『時予乃或言。』傳皆云：『或，有也。』鄭康成注《論語》亦云：『或之言有也。』《爲政篇》「或謂孔子曰」注《韓非子》曰：『無或作利，從王之指。無或作惡，從王之路。』《有度篇》引「先王之法曰」。文雖異，然亦以『或』爲『有』。」引之按：《易・益》上九曰：「莫益之，或擊之。」「或」與「莫」相對爲文。莫者，無也。或者，有也。故《考工記・梓人》曰：「毋或若女不寧侯。」《禮記・祭義》曰：「庶或饗之。」《孟子・公孫丑篇》曰：「夫既或治之。」趙、鄭注及《廣雅》、《小爾雅》竝曰：「或，有也。」高誘注《淮南・本經》《説林》二篇同。又「殷其弗或亂正四方」，《史記・宋世家》「或」作「有」。《無逸》「乃或亮陰」，《魯世家》「或」作「有」。「亦罔或克壽」，《漢書・鄭崇傳》「或」作「有」。《大戴禮・五帝德篇》「小子無有宿問」，《家語》「有」作「或」。《月令》「無有斬伐」，《呂氏春秋・季夏篇》「有」作「或」。《左傳・莊三十二年》

「故有得神以興，亦有以亡」，《周語》「有」竝作「或」。《哀七年》「曹人或夢衆君子立于社宮而謀亡曹」，《史記·曹世家》「或」作「有」。《周語》「而或專之，其害多矣」，《史記·周本紀》「或」作「有」。蓋「或」字古讀若「域」，「有」字古讀若「以」，說見《唐韻正》。二聲相近，故曰「或」之言「有」也。聲義相通，則字亦相通。《說文》：「或，邦也。從口，戈以守一。一，地也。或從土作域。」《詩·玄鳥》「正域彼四方」，傳曰：「域，有也。」「域」之訓爲「有」，猶「或」之訓爲「有」也。「或」之通作「有」，猶《玄鳥》之「奄有九有」，《韓詩》作「九域」也。見《文選·冊魏公九錫文》注。《荀子·禮論篇》「人有是，士君子也。外是，民也」，《史記·禮書》「有」作「域」。「或」、「有」同義，則可以互訓。故「不其或稽」《盤庚》，不其有稽也。「曷其有佸」《詩·君子于役》，曷其或佸也。「不敢有後」《多士》，不敢或後也。「莫敢或遑」《詩·殷其靁》，莫敢有遑也。「未之有舍」，《檀弓》曰：「自上世以來，未之有舍也。」未之或舍也。「未之或失」，昭十三年《左傳》曰：「自古以來，未之或失也。」未之有失也。「毋有不當」《月令》，毋或不當也。「毋或不良」同上，毋有不良也。「有渝此盟」僖二十八年《左傳》，或渝此盟也。「或閒茲命」襄十一年，有閒茲命也。「君子之道，或出或處，或默或語」《繫辭傳》，「或」亦「有」也。「禮有大有小，有顯有微」《禮器》，「有」亦「或」也。是「或」、「有」二字，隨舉一言，而其義皆通也。

或，猶「又」也。《詩·賓之初筵》曰：「既立之監，或佐之史。」言又佐之史也。《禮記·

檀弓》曰：「父死之謂何，或敢有他志以辱君義。」《晉語》「或」作「又」。上文曰：「父死之謂何，又因以爲利。」哀元年《左傳》曰：「今吴不如過，而越大於少康。或將豐之，不亦難乎？」《史記·吴世家》作「又將寬之」。《賈子·保傅篇》曰：「鄙諺曰：『不習爲史，而視己事。』又曰：『前車覆，後車戒。』」《韓詩外傳》「又曰」作「或曰」。「或」古讀若「域」，「又」古讀若「異」，說見《唐韻正》。二聲相近，故義相通，而字亦相通。「或」之通作「又」，猶「或」之通作「有」矣。

或，語助也。《詩·天保》曰：「如松柏之茂，無不爾或承。」言無不爾承也。或，語助耳。箋曰：「或之言有也。」亦謂語助之「有」，無意義也。

抑 意 噫 億 懿

抑，詞之轉也。昭八年《左傳》注曰：「抑，疑辭。」常語也。字或作「意」。《周語》曰：「敢問天道乎？抑人故也？」《賈子·禮容語篇》「抑」作「意」。《論語·學而篇》：「求之與？抑與之與？」《漢石經》作「意」。《墨子·明鬼篇》曰：「豈女爲之與？意鮑爲之與？」《莊子·盜跖篇》曰：「知不足邪？意知而力不能行邪？」「意」竝與「抑」同。字又作「噫」，又作「億」，又作「懿」，聲義竝同也。《書·金縢》曰：「二公及王，乃問諸史與百執事。對曰：『信，噫公命我勿敢言。』」釋文曰：「噫，馬本作懿，猶億也。」家大人曰：「噫」、「懿」、

「億」，竝與「抑」同。「信」爲一句，「噫公命我勿敢言」爲一句。言信有此事，抑公命我勿敢言之也。《易・震》六二曰：「億喪貝。」王弼注曰：「億，辭也。」釋文曰：「億，本又作噫。」《禮記・文王世子》注曰：「億可以爲之也。」釋文曰：「億，本又作噫。」《莊子・在宥篇》曰：「意治人之過也。」釋文曰：「意，本又作噫。」《外物篇》曰：「夫流遁之志，決絶之行，噫其非至知厚德之任與？」《新序・雜事篇》曰：「噫將使我追車而赴馬乎？投石而超拒乎？逐麋鹿而搏豹虎乎？噫將使我出正辭而當諸侯乎？決嫌疑而定猶豫乎？」《韓詩外傳》「噫」作「意」。《楚語》曰：「作《懿》戒以自儆。」韋注曰：「懿，《詩・大雅・抑》之篇也。懿，讀之曰抑。」是「抑」、「意」、「噫」、「億」、「懿」五字竝同也。故馬注曰：「懿，猶億也。」某氏不知「噫」爲「抑」之借字，而以爲恨辭，失之矣。

抑，發語詞也。昭十三年《左傳》：「晉侯使叔向告劉獻公曰：『抑齊人不盟，若之何？』」二十九年：「寡君與其二三老曰：『抑天實剥亂是，吾何知焉？』」《晉語》：「苦成叔子曰：『抑年少而執官者衆，吾安容子？』」或作「噫」、「意」。《詩・十月之交》曰：「抑此皇父。」釋文引《韓詩》曰：「抑，意也。」《莊子・大宗師篇》：「許由曰：『噫未可知也。』」釋文曰：「噫，崔云：『辭也。』本亦作『意』。」

抑亦，亦詞之轉也。昭三十年《左傳》曰：「其抑亦將卒以祚吳乎？」《論語・子路篇》

曰：「抑亦可以爲次矣。」是也。或作「意亦」，或作「噫亦」，或作「億亦」，聲義竝同也。《易·繫辭傳》曰：「噫亦要存亡吉凶，則居可知矣。」釋文曰：「噫，於其反。王肅於力反，辭也。馬同。」引之按：馬、王說是也。「噫亦」即「抑亦」也。「抑」通作「噫」，已見上條。《大戴禮·武王踐阼篇》曰：「黄帝、顓頊之道存乎？意亦忽不可得見與？」《荀子·脩身篇》曰：「將以窮無窮，逐無極與？意亦有所止之與？」《秦策》曰：「誠病乎？意亦思乎？」《史記·吴王濞傳》曰：「億亦可乎？」《漢書》作「意亦」。字竝與「抑亦」同。《正義》以爲「噫乎發歎」及《釋文》「於其反」之音，皆失之矣。

或言「意者」者，亦疑詞也。《管子·小問篇》曰：「意者君乘駮馬而洀桓，迎日而馳乎？」《晏子·雜篇》曰：「意者非臣之罪乎？」《墨子·公孟篇》曰：「意者先王之言有不善乎？」《莊子·天運篇》曰：「意者其有機緘而不得已邪？意者其運轉而不能自止邪？」「意者」或作「抑者」。《漢書·敘傳》曰「其抑者從横之事復起於今乎」是也。「意者」之言「或者」也。故《易·乾·文言》曰：「或之者，疑之也。」《廣雅》曰：「意，疑也。」《韓詩》曰：「抑，意也。」杜注《左傳》曰：「抑，疑辭。」義竝同矣。

一　壹

一，猶「皆」也。《詩・北門》曰：「政事一埤益我。」言政事皆埤益我也。箋曰：「國有賦稅之事，則減彼一而以益我。」失之。今從朱《傳》。《禮記・大傳》曰：「五者一得於天下，民無不足，無不贍者。」言五者皆得於天下也。《大戴禮・衛將軍文子篇》曰：「若吾子之語審茂，則一諸侯之相也。」盧辯注曰：「一，皆也。」《家語・弟子行篇》「一」作「壹」。王肅注同。莊十六年《穀梁傳》曰：「不言公，外內寮一疑之也。」言外內諸侯皆疑之也。范注曰：「外內同一疑公。」字或作「壹」。《禮記・三年問》曰：「壹使足以成文理。」王肅注曰：「壹，皆也。」見《荀子・禮論》注。

一，猶「或」也。莊二年《穀梁傳》曰：「其一曰君在而重之也。」文十八年曰：「一曰就賢也。」一曰，或曰也。《大戴禮・夏小正傳》曰：「一則在本，一則在末。」《禮記・樂記》曰：「一動一靜者，天地之閒也。」昭元年《左傳》曰：「疆場之邑，一彼一此，何常之有？」五年曰：「一臧一否，其誰能常之？」莊十八年《穀梁傳》曰：「一有一亡曰有。」僖八年曰：「一則以宗廟臨之而後貶焉，一則以外之弗夫人而見正焉。」《論語・里仁篇》曰：「一則以喜，一則以懼。」《爾雅》曰：「泉一見一否爲瀸，井一有水一無水爲瀱汋。」以上諸「一」字，竝與「或」同義。

一，猶「乃」也。《呂氏春秋・知士篇》曰：「静郭君之於寡人，一至此乎？」高注曰：「一，猶乃也。」又《貴直篇》曰：「士之遫弊一若此乎！」《史記・商君傳》曰：「爲法之敝，一至此哉！」義竝同也。

一，語助也。昭二十年《左傳》曰：「君一過多矣，何信於讒？」《管子・霸形篇》曰：「今楚王之善寡人一甚矣。」《晏子春秋・諫篇》曰：「寡人一樂之是欲。」《莊子・大宗師篇》曰：「固有無其實而得其名者乎？回一怪之。」《燕策》曰：「此一何慶弔相隨之速也。」以上諸「一」字皆是語助。字或作「壹」。《禮記・檀弓》曰：「予壹不知夫喪之踊也。」正義曰：「言我專壹，不知夫喪之踊也，何須有節。」失之。又曰：「子之哭也，壹似重有憂者。」正義曰：「壹者，決定之辭。」失之。《大學》曰：「自天子以至於庶人，壹是皆以脩身爲本。」言是皆以脩身爲本也。壹，語助耳。鄭注曰：「壹是，專行是也。」失之。《大戴禮・小辯篇》曰：「微子之言，吾壹樂辯言。」成十六年《左傳》曰：「敗者壹大。」襄二十一年曰：「今壹不免其身以棄社稷，不亦惑乎？」以上諸「壹」字，亦皆是語助。

亦

亦，承上之詞也。若《書・康誥》曰「怨不在大，亦不在小」是也。昭十七年《公羊傳》

注曰："亦者，兩相須之意。"常語也。

有不承上文而但爲語助者，若《易・井・彖辭》曰："亦未繘井。"《書・皋陶謨》曰："亦行有九德。"《詩・草蟲》曰："亦既見止。"是也。其在句中助語者，若《書・盤庚》曰："予亦拙謀作乃逸。"《詩・文王》曰："凡周之士，不顯亦世。"「不顯亦世」，言其世之顯也。「不」與「亦」皆語助耳。箋以亦爲承上之詞，失之。互見「不」字下。《思齊》曰："不顯亦臨，無射亦保。"傳曰："以顯臨之，保安無厭也。"則「不」字與兩「亦」字皆爲語助明矣。《箋》説皆誤。互見「不」字下。又曰："不聞亦式，不諫亦入。"是也。兩「不」字、兩「亦」字皆語助。言聞善言則用之，進諫則納之也。《傳》《箋》皆誤。互見「不」字下。

凡言「不亦」者，皆以「亦」爲語助。「不亦説乎」，不説乎也。「不亦樂乎」，不樂乎也。「不亦君子乎」，不君子乎也。趙岐注《孟子・滕文公篇》曰："不亦者，亦也。"失之。

凡言「盍亦」者，亦以「亦」爲語助。「盍亦求之」，盍求之也。《左傳・僖二十四年》「子盍亦遠績禹功而大庇民乎」，盍遠績禹功而大庇民也。《昭元年》「王其盍亦鑑於人」，盍鑑於人也。《吴語》「盍亦反其本矣」，盍反其本也。《孟子・梁惠王篇》

伊　繄

伊，維也。常語也。字或作「繄」。襄十四年《左傳》曰："王室之不壞，繄伯舅是賴。"

正義曰：「王室之不傾壞者，唯伯舅是賴也。」「唯」與「維」同。又隱元年曰：「爾有母遺，繄我獨無。」言維我獨無也。

伊，是也。《詩·雄雉》曰：「自詒伊阻。」《小明》曰：「自詒伊慼。」與此同。《蒹葭》曰：「所謂伊人。」《白駒》曰：「所謂伊人。」與此同。《東山》曰：「伊可懷也。」《正月》曰：「伊誰云憎？」《何人斯》曰：「伊誰云從？」與此同。鄭箋竝曰：「伊，當作繄。繄，是也。」其作「繄」者，《周語》曰：「此一王四伯，豈繄多寵，皆亡王之後也。」《吴語》曰：「君王之於越也，繄起死人而肉白骨也。」韋注竝曰：「繄，是也。」僖五年《左傳》曰：「民不易物，惟德繄物。」《釋文》與韋注同。又宣二年《左傳》曰：「我之懷矣，自詒伊慼。」《詩·雄雉》正義引作「自詒繄慼」。繄，亦是也。正義曰：「《箋》以宣二年《左傳》『自詒繄慼』，《小明》云『自詒伊慼』，爲義既同，明『伊』有義爲『繄』者，故此及《蒹葭》《東山》《白駒》，各以『伊』爲『繄』，《小明》不易者，以『伊慼』之文與《傳》正同，爲『繄』可知。」據此，則孔氏所見《左傳》作「繄」也。今本《正義》引《左傳》作「伊」者，後人以今本《左傳》改之耳。不知《左傳》作「繄」、《詩》作「伊」，乃爲「伊」、「繄」相通之證。若《傳》不作「繄」，何以云「明伊有義爲繄者」，且云「爲繄可知」乎？僖二十四年《傳》曰：「自詒伊慼。」亦當作「繄」。以《傳》内「繄我獨無」、「惟德繄物」、「繄伯舅是賴」例之，則作「繄」者，《左傳》原文也，後人據《毛詩》改作「伊」耳。陸氏《左傳釋文》於「自詒繄慼」不出「繄」字之音，則所據本已誤作「伊」。竊疑孔氏《詩正義》所據，爲賈、服諸家之本。而陸氏《左傳釋文》則據杜預本也。

伊，有也。《詩·頍弁》曰：「豈伊異人。」箋曰：「豈有異人疏遠者乎？」是也。又《我將》曰：「伊嘏文王。」伊，有也，發語詞也。嘏，大也。正義曰：「毛於嘏字皆訓爲大，此嘏亦爲大也。」大哉文王，歎美之也。《詩》凡言「思文后稷」、「於皇武王」、「允文文王」、「於赫湯孫」，皆歎美之詞。箋曰：「維受福於文王。」王肅曰：「維天乃大文王之德。」文義皆未安。說見《經義述聞》。「伊嘏文王」、「有皇上帝」文義相類。

夷

夷，語助也。《周官·行夫》曰：「居於其國，則掌行人之勞辱事焉，句使則介之。」劉昌宗誤以「焉使」連讀，辯見《經義述聞》。鄭注曰：「使，故書曰夷使。夷，發聲。」是也。《詩·瞻卬》曰：「蟊賊蟊疾，靡有夷屆。罪罟不收，靡有夷瘳。」言爲害無有終極，如病無有愈時也。夷，語助也。傳、箋訓「夷」爲「常」，則與「屆」字、「瘳」字文義不相屬。昭二十四年《左傳》曰：「紂有億兆夷人。」言有億兆人也。杜注曰：「兼有四夷。」東晉《泰誓》傳曰：「夷人，平人。」皆失之。《孟子·盡心篇》曰：「夷考其行而不掩焉者也。」夷，亦語助。趙注曰：「夷，平也。」平考其行，殊無意義。言考其行而不掩也。夷，語助也。又《周官·職方氏》曰：「其川虖池、嘔夷。」嘔夷，滱水也。《水經·滱水注》曰：「滱水即漚夷之水。」「漚」與「嘔」同。「嘔」之言「滱」，「嘔」、「滱」古音相近。「夷」其語助與？

洪

洪，發聲也。《大誥》曰：「洪惟我幼沖人。」《多方》曰：「洪惟圖天之命。」皆是也。解者皆訓爲「大」，失之。

庸

庸，詞之「用」也。《書·皋陶謨》曰：「帝庸作歌。」襄二十五年《左傳》曰：「庸以元女大姬配胡公而封諸陳。」杜注曰：「庸，用也。」是也。

庸，猶「何」也，「安」也，「詎」也。莊十四年《左傳》曰：「庸非貳乎？」僖十五年曰：「晉其庸可冀乎？」宣十二年曰：「庸可幾乎？」襄十四年曰：「庸知愈乎？」三十年曰：「其庸可媮乎？」昭十年曰：「庸愈乎？」十二年曰：「其庸可棄乎？」哀十二年曰：「庸爲直乎？」《晉語》曰：「吾庸知天之不授晉，且以勸荆乎？」莊三十二年《公羊傳》曰：「庸得若是乎？」何注曰：「庸，猶傭。傭，無節目之辭。」失之。《吕氏春秋·下賢篇》曰：「吾庸敢鶩霸王乎？」皆是也。「庸」與「何」同意，故亦稱「庸何」。文十八年、昭元年《左傳》及《魯語》竝曰：「庸何傷？」襄二十五年《左傳》曰：「將庸何歸？」承上文「君死安歸」言之也。杜注曰：「將用死亡之義，何所歸趣？」失之。

庸，猶「何」也。「庸」與「安」同意，故亦稱「庸安」。《荀子・宥坐篇》曰：「女庸安知吾不得之桑落之下？」庸，猶「安」也。「庸」與「詎」同意，故亦稱「庸詎」。《莊子・齊物論篇》曰：「庸詎知吾所謂知之非不知邪？庸詎知吾所謂不知之非知邪？」《楚詞・哀時命》曰：「庸詎知其吉凶？」庸，猶「詎」也。或曰「庸孰」。《大戴禮記・曾子制言篇》曰：「則雖女親，庸孰能親女乎？」庸孰，猶「庸詎」也。解者多訓爲「用」，失之。

台 音「飴」

台，猶「何」也。如台，猶「奈何」也。《書・湯誓》「夏罪其如台」，《史記・殷本紀》作「有罪其奈何」。《高宗肜日》「乃曰其如台」，《殷本紀》作「乃曰其奈何」。《西伯戡黎》「今王其如台」，《殷本紀》作「今王其奈何」。是古謂「奈何」爲「如台」也。《盤庚》：「卜稽曰其如台？」亦謂卜問曰其奈何也。《法言・問道篇》：「莊周、申、韓，不乖寡聖人而漸諸篇，則顏氏之子、閔氏之孫其如台？」言三子若不詆訾聖人，則顏、閔之徒其奈之何也。宋咸注：「台，我也。」失之。《漢書・敘傳》：「矧乃齊民，作威作惠。如台不匡禮法是謂？」言游俠之徒，以齊民而作威作惠如此，奈何不匡之以禮法也。如淳注：「台，我也，我國家也。」失之。《文選・典引》：「伊考自遂古，乃降戾爰兹。作者七十有四人，今其如台而獨闕也？」言今其奈何而獨闕也。蔡邕《郭有道碑文》「今其如何而闕斯禮」句法本此。李善注及李賢《後漢書・班固傳》注竝曰：「台，我也。」失之。蓋漢時説《尚書》者，皆以「如台」爲「奈何」，故馬、班、子雲竝師其訓。自某氏《傳》訓「台」爲「我」，而其義遂不可通，段氏若膺《尚書撰異》辨之詳矣。《爾雅》：「台，我也。」此「非台小子」之「台」，非「如台」之「台」。

經傳釋詞弟四

惡 烏

惡，猶「安」也，「何」也。字亦作「烏」。高注《吕氏春秋・本生篇》曰：「惡，安也。」又注《明理篇》曰：「烏，安也。」桓十六年《左傳》曰：「棄父之命，惡用子矣？」昭三十一年《公羊傳》曰：「惡有言人之國賢若此者乎？」何注曰：「惡有，猶何有、寧有。」又《禮記・檀弓》曰：「吾惡乎用吾情？」桓六年《公羊傳》曰：「惡乎淫？」何、鄭注竝曰：「惡乎，猶於何也。」又莊十二年《公羊傳》曰：「魯侯之美惡乎至？」注曰：「惡乎至，猶何所至。」《孟子・梁惠王篇》曰：「天下惡乎定？」趙注曰：「問天下安所定。」由莊十二年《公羊傳》注及《孟子注》推之，則「惡乎用吾情」即「何所用吾情」，「惡乎淫」即「何所淫」。《大戴禮・武王踐阼篇》曰：「惡乎危？」「惡乎失道？」「惡乎相忘？」《檀弓》曰：「吾惡乎哭諸？」又曰：「有亡惡乎齊？」《論語・里仁篇》曰：「惡乎成名？」《孟子・公孫丑篇》曰：「敢問夫子惡乎長？」《莊子・齊物論篇》曰：「道惡乎隱而有真僞？言惡乎隱而有是非？」義竝與此同。蓋「惡」本訓「何」，「惡乎」，猶言「何所」，不必訓爲「於何」也。又《大戴禮・武王踐阼篇》曰：「惡有藏之約，行之行，萬世可以爲子孫常者乎？」《史記・外戚世家》曰：「惡能識乎性命哉？」《漢書・竇田灌韓傳贊》曰：「惡能救斯敗哉？」《司馬相如傳》曰：「齊、楚之事，又烏足道乎？」義竝與「安」同。而説者亦訓爲「於何」，斯爲謬矣。

惡，不然之詞也。《孟子・公孫丑篇》曰：「惡，是何言也？」《莊子・人閒世篇》曰：「惡，句惡可！」上「惡」字不然之詞，下「惡」字訓爲安。《荀子・法行篇》曰：「惡，句賜，句是何言也？」皆是也。又《韓子・難篇》曰：「啞，是非君人者之言也。」「啞」與「惡」同。

侯

《爾雅》曰：「伊、維，侯也。」《詩・六月》曰：「侯誰在矣？」傳曰：「侯，維也。」

《爾雅》曰：「侯，乃也。」《詩・文王》曰：「商之孫子，其麗不億。上帝既命，侯于周服。」言商之子孫甚衆，而上帝既命文王之後，乃臣服于周也。王肅訓「侯」爲「維」，義得兩通。《蕩》之「侯作侯祝」，亦可訓爲「乃」。

侯，何也。《呂氏春秋・觀表篇》曰：「今侯渫過而不辭？」高誘注曰：「侯，何也。」《漢書・司馬相如傳》曰：「君乎君乎，侯不邁哉？」李奇注與高誘同。見《文選・封禪文》注。

遐 瑕

遐，何也。《詩·南山有臺》曰："樂只君子，遐不眉壽？"《隰桑》曰："心乎愛矣，遐不謂矣？"《棫樸》曰："周王壽考，遐不作人？""遐不"，皆謂"何不"也。《禮記·表記》引《詩》作"瑕不謂矣"，鄭注曰："瑕之言胡也。"傳、箋皆訓"遐"爲"遠"，失之。

號音"豪"

號，何也。《荀子·哀公篇》曰："魯哀公問於孔子曰：'紳委章甫，有益於仁乎？'孔子蹴然曰：'君號然也？'"《家語·好生篇》作"君胡然焉"。"何"也，"胡"也，"奚"也，"遐"也，"侯"也，"號"也，"曷"也，"盍"也，"盍"爲"何不"，而又爲"何"，説見"盍"字下。一聲之轉也。

曷 害

曷，何也。常語也。字亦作"害"。《詩·葛覃》曰"害澣害否"是也。家大人曰：《爾雅》曰："曷，盍也。"郭注曰："盍，何不也。"《書·湯誓》曰："時日曷喪。"《詩·有杕之杜》曰："中心好之，曷飲食之？"曷，皆謂"何不"也。説者竝訓爲"何"，失之。

盍　蓋　闔

盍，何不也。常語也。字亦作「蓋」。《禮記・檀弓》曰「子蓋言子之志於公乎」是也。

家大人曰：《廣雅》曰：「盍，何也。」《楚辭・九歌》曰：「盍將把兮瓊芳。」王注曰：「盍，何也。言靈巫何持乎，乃復把玉枝以爲香也。」今本作「盍，何不也」，「不」字乃後人所加。注言「靈巫何持」，則訓「盍」爲「何」明矣。而今本《文選》所載王注又改「何持」爲「何不持」，以從五臣之謬解。蓋後人但知「盍」爲「何不」而不知其又訓爲「何」，故紛紛妄改耳。《管子・戒篇》曰：「盍不出從乎？君將有行。」尹知章注曰：「君將有行，何不出從乎？盍，何也。」今本作「盍，何不也」，「不」字亦後人所加。《侈靡篇》作「公將有行，胡不送公」，「胡不」即「盍不」。《莊子・盜跖篇》曰：「盍不爲行？」釋文曰：「盍，何也。勸何不爲德行。」今本作「盍，何不也」，「不」字亦後人所加。字亦作「蓋」，又作「闔」。《莊子・養生主篇》曰：「善哉，技蓋至此乎？」言技之善何至於此也。《秦策》曰：「勢位富貴，蓋可忽乎哉？」言何可忽也。褚少孫續《史記・三代世表》曰：「豈可以忽乎哉？」《管子・小稱篇》曰：「闔不起爲寡人壽乎？」《莊子・徐無鬼篇》曰：「闔不亦問是已。」闔不，何不也。「盍」爲「何不」，而又爲「何」；「曷」爲「何」，而又爲「何不」，見「曷」字下。聲近而義通也。故《爾雅》曰：「曷，盍也。」

《廣雅》曰：「曷、盍，何也。」學者失其義久矣。

許

李善注《文選》曰：「許，猶所也。」謝朓《在郡卧病》詩。《墨子·非樂篇》曰：「舟車既以成矣，曰：吾將惡許用之？」言吾將何所用之也。「許」、「所」聲近而義同。《説文》：「所，伐木聲也。《詩》曰：『伐木所所。』」今《詩》作「許許」。阮籍《詠懷》詩：「良辰在何許？」「何許」即「何所」。

行

顔師古注《漢書·楊雄傳》曰：「行，且也。」案：李善注《文選·洞簫賦》《魏文帝與吴質書》竝云：「行，猶且也。」蓋舊有此訓。《詩·十畝之閒》曰：「行與子還兮。」又曰：「行與子逝兮。」言且與子歸、且與子往也。

況　兄　皇

《廣韻》曰：「況，矧也。」常語。

《廣韻》曰：「況，匹擬也。」楊倞注《荀子·非十二子篇》曰：「況，比也。」顔師古注《漢書・高惠高后文功臣表》曰：「況，譬也。」亦常語。

況，猶「與」也，「如」也。閔元年《左傳》曰：「猶有令名，與其及也。」王肅注曰：「雖去猶有令名，何與其坐而及禍也。」「何與」猶「何如」也。説見「與」字下。二年《傳》曰：「與其危身以速罪也。」《晉語》作「況其危身於狄以起讒於内也」。況也，與也，如也，竝與比擬之義相近。

況，滋也，益也。《詩・常棣》曰：「每有良朋，況也永歎。」《出車》曰：「僕夫況瘁。」傳、箋竝曰：「況，兹也。」「兹」與「滋」同。《晉語》曰：「衆況厚之。」又曰：「今子曰中立，況固其謀也。」韋注竝曰：「況，益也。」益，亦滋也。古通作「兄」，又作「皇」。《桑柔》曰：「倉兄填兮。」《召旻》曰：「職兄斯引。」傳竝曰：「兄，兹也。」《書・無逸》曰：「厥或告之曰：小人怨女詈女，則皇自敬德。」《漢石經》「皇」作「兄」。王肅本作「況」，注曰：「況，滋。益用敬德也。」案，王説是也。古文作「皇」者，借字耳。鄭注訓「皇」爲「暇」，某氏傳訓「皇」爲「大」，皆於義未安。上文「無皇曰」，石經亦作「兄」。《秦誓》「我皇多有之」，文十二年《公羊傳》作「而況乎我多有之」。《尚書大傳》曰：「君子之於人也，有其語也，無不聽者，皇於聽獄乎？」鄭彼注曰：「皇，猶況也。」是「況」、「皇」古多通用。

鄉音「向」　曏

鄉，猶「方」也。字亦作「曏」。《易·隨·象傳》曰：「君子以嚮晦入宴息。」言方晦入宴息也。《詩·庭燎》曰：「夜鄉晨。」言夜方晨也。

汔音「迄」

汔，幾也。《易·井·彖辭》曰：「汔至亦未繘井。」《未濟·彖辭》曰：「小狐汔濟，濡其尾。」鄭、虞注竝曰：「汔，幾也。」《詩·民勞》曰：「民亦勞止，汔可小康。」箋亦曰：「汔，幾也。」

汔，其也。昭二十年《左傳》孔子引前《詩》云云，杜注曰：「汔，其也。」於義亦通。此蓋出三家《詩》，或是《左傳》舊注如此。《後漢書·班超傳》超妹昭上書引前《詩》云云，李賢注亦曰：「汔，其也。」

歟　與

《玉篇》曰：「歟，語末辭。」古通作「與」。皇侃《論語·學而篇》疏曰：「與，語不定之辭。」高誘注《吕氏春秋·自知篇》曰：「歟，邪也。」「邪」俗作「耶」。「歟」、「邪」二字，古竝讀若「餘」。《莊子・天地篇》:「其亂而後治之與?」釋文:「與,本又作邪。」又注《淮南・精神篇》曰:「與,邪,辭也。」此皆常語也。其在句中助語者,《禮記・檀弓》曰:「誰與哭者?」又曰:「死者如可作也,吾誰與歸?」家大人曰:與,音「餘」。「吾誰與歸」與「誰與哭者」文同一例,猶言吾將誰歸也。《釋文》「與」字無音。正義曰:「吾於衆大夫之内,而誰最賢,可以與歸。」「與」字竝讀上聲,失之。是也。「與」爲問詞,與「哉」同義,連言之則曰「與哉」。《禮記・檀弓》曰:「我弔也與哉?」《論語・陽貨篇》曰:「鄙夫可與事君也與哉?」是也。猶「乎」與「哉」同義,而連言之則曰「乎哉」也。

與,猶「兮」也。《詩・潛》曰:「猗與漆、沮。」《那》曰:「猗與那與。」猶言猗兮漆、沮,猗兮那兮也。《晉語》「猗兮違兮」,是其例。

與,猶「也」也。《論語・公冶長篇》:「於予與何誅!」「於予與改是。」猶言於予也何誅,於予也改是。「與」、「邪」古同聲,故「邪」亦與「也」同義。《大戴禮・五帝德篇》曰:「吾欲以顏色取人,於滅明邪改之。吾欲以語言取人,於予邪改之。吾欲以容貌取人,於師邪改之。」是也。互見「邪」字下。

邪 以遮反

邪,猶「歟」也,「乎」也。《顏氏家訓・音辭篇》曰:「邪者,未定之詞。」常語也。

邪,猶「兮」也。《齊策》曰:「松邪柏邪,住建、共者客邪?」是也。

家大人曰：邪，猶「也」也。《莊子・德充符篇》曰：「我適先生之所，則廢然而反，不知先生之洗我以善邪。」「邪」與「也」同義，猶言日遷善而不自知也。郭象注：「不知先生洗我以善道故邪？爲我能自反邪？」失之。《在宥篇》曰：「豈直過也，而去之邪？乃齊戒以言之邪，跪坐以進之邪，鼓歌以儛之邪。」上一「邪」字與「乎」同義，下三「邪」字與「也」同義。今本無下三「邪」字者，後人妄删之也。《釋文》出「而去之邪」四字而釋之曰：「崔本唯此一字作『邪』，餘皆作『恖』。」是陸所見本，「去之」、「言之」、「進之」、「儛之」下，皆有「邪」字。崔本則上一「邪」字作「邪」而下三「邪」字皆作「恖」也。《山木篇》曰：「一呼而不聞，再呼而不聞，於是三呼邪，則必以惡聲隨之。」是也。《天地篇》曰：「始也我以女爲聖人邪，今然君子也。」「然」猶「乃」也，説見「然」字下。《趙策》曰：「始吾以君爲天下之賢公子也，吾乃今然后知君非天下之賢公子也。」文義與此同。《天運篇》曰：「甚矣夫！人之難説也，道之難明邪。」「邪」亦「也」耳。

也

《玉篇》曰：「也，所以窮上成文也。」《顏氏家訓・書證篇》曰：「也，語已及助句之辭。」有結上文者，若《論語》「亦不可行也」之屬是也。有起下文者，若「夫子至於是邦也」之屬是也。有在句中助語者，若「其爲人也孝弟」之屬是也。此皆常語。

也，猶「焉」也。《禮記・樂記》曰：「內和而外順，則民瞻其顏色而弗與爭也，望其容貌而民不生易慢焉。」《大戴禮・曾子立事篇》曰：「見善，恐不得與焉。見不善者，恐其及己也。」《論語・里仁篇》曰：「見賢思齊焉，見不賢而内自省也。」「也」亦「焉」也，互文耳。

也，猶「矣」也。《禮記・樂記》曰：「散軍而郊射，左射貍首，右射騶虞，而貫革之射息也。裨冕搢笏，而虎賁之士説劒也。」《聘義》曰：「如此，則民順治而國安也。」《大戴禮・衛將軍文子篇》曰：「其可謂不險也。」《晉語》曰：「且夫欒氏之誣晉國久也。」宋明道本如是。今本作「且夫欒氏之誣晉國也久矣」，乃後人所改。《論語・先進篇》曰：「從我於陳、蔡者，皆不及門也。」「也」字竝與「矣」同義。《大戴禮・曾子立事篇》曰：「聽其言也，可以知其所好矣。觀説之流，可以知其術也。」《禮記・文王世子》曰：「然而衆知父子之道矣。」又曰：「然而衆著於君臣之義也。」又曰：「然而衆知長幼之節矣。」「也」亦「矣」也，互文耳。故《禮記・祭義》「可謂能終矣」，《大戴禮・曾子大孝篇》「矣」作「也」。《中庸》「民不可得而治矣」，《孟子・離婁篇》「矣」作「也」。

也，猶「者」也。《詩・權輿》曰：「今也，每食無餘。」《禮記・檀弓》曰：「古也墓而不墳。」又曰：「古者冠縮縫，今也衡縫。」昭十二年《左傳》曰：「古也有志。」成十七年《穀梁傳》曰：「不曰至自伐鄭也，公不周乎伐鄭也。」上「也」字與「者」同義。《論語・雍也篇》曰：「今也則亡。」《子罕篇》曰：「今也純。」《陽貨篇》曰：「古者民有三疾，今也或是之亡也。」是也。《孟子・盡心篇》曰：「孩提之童，無不知愛其親者，舊本皆如是，監本「者」作「也」，乃後人所改。及其長也，無不知敬其兄也。」下「也」字亦與「者」同義。

也，猶「耳」也。《禮記・祭義》曰：「參直養者也，安能爲孝乎？」《論語・先進篇》曰：「由也升堂矣，未入於室也。」馬融注曰：「升我堂矣，未入於室耳。」《孟子・離婁篇》曰：「子之從於子敖來，徒餔啜也。」《齊策》曰：「王亦不好士也，何患無士？」是也。

也，猶「兮」也。《詩・日月》曰：「乃如之人兮。」《蝃蝀》曰：「乃如之人也。」《君子偕老》曰：「邦之媛也。」《羔裘》曰：「邦之彦兮。」文義竝同。《鳲鳩》曰：「其儀一兮，心如結兮。」《禮記・緇衣》引作「其儀一也」，《淮南・詮言篇》引作「其儀一也，心如結也」。《旄丘》曰：「何其處也。」《韓詩外傳》引作「何其處兮」。《君子偕老》曰：「玉之瑱也。」《説文》引作「玉之瑱兮」。是也。

也，猶「邪」也，「歟」也，「乎」也。《易・同人・象傳》曰：「出門同人，又誰咎也？」《繫辭傳》曰：「夫《易》，何爲者也？夫《易》，開物成務，冒天下之道，如斯而已者也。」上「也」字是問詞，與「邪」同義。凡經傳中兩「也」字相承，上作問詞、下作荅詞者，放此。又曰：「其故何也？」《乾・文言》曰：「何謂也？」凡言「何也」、「何謂也」者，皆放此。《詩・旄丘》曰：「叔兮伯兮，何多日也？」凡上言「何」而下言「也」者，放此。《儀禮・士昏禮記》曰：「某辭不得命，敢不從也？」《禮記・曲禮》曰：

「奈何去社稷也？」《檀弓》曰：「女何無罪也？」又曰：「如之何其裼裘而弔也？」凡上言「如之何」而下言「也」者，放此。又曰：「若是其靡也？」又曰：「何爲不去也？」凡上言「何爲」而下言「也」者，放此。《郊特牲》曰：「豈知神之所饗也？」桓十年《左傳》曰：「吾焉用此，其以賈害也？」凡上言「其以」而下言「也」者，放此。僖五年曰：「且虞能親於桓、莊乎？其愛之也？」襄二十五年曰：「獨吾君也乎哉？吾死也？」昭六年曰：「今豆有加，下臣弗堪，無乃戾也？」哀六年曰：「女忘君之爲孺子牛而折其齒乎？而背之也？」《周語》曰：「敢問天道乎？抑人故也？」《晉語》曰：「不知人殺乎，抑厲鬼邪？」《魯語》曰：「抑刑戮也？其夭札也？」又曰：「將天下是王而何德於君？其予君也？」又曰：「主亦有以語肥也？」《晉語》曰：「鄭之使薄而報厚，其言我於秦也？」內、外《傳》「也」字與「邪」同義者甚多，不能徧引。宣六年《公羊傳》曰：「子大夫也，欲視之，則就而視之。」《論語·爲政篇》曰：「子張問十世可知也？」《雍也篇》曰：「斯人也，而有斯疾也？」下「也」字與「邪」同義。又曰：「仁者雖告之曰：『井有仁焉。』其從之也？」《管子·戒篇》曰：「今孤之不得意於天下，非皆二子之憂也？」《孟子·公孫丑篇》曰：「惡，是何言也？」《祭義》曰：「是何言與？」又曰：「豈以仁義爲不美也？」《告子篇》曰：「然則飲食亦在外也？」上文曰：「然則耆炙亦有外與？」《盡心篇》曰：「殺人之父者，人亦殺其父。殺人之兄者，人亦殺其兄。然則非自殺之也？一閒耳。」《莊子·養生主篇》曰：「是何人也？惡乎介也？」《胠篋篇》

曰：「然則鄉之所謂知者，不乃爲大盜積者也？」《荀子·正名篇》曰：「如此者，其求物也，養生也？粥壽也？」《吕氏春秋·不侵篇》曰：「意者秦王帝王之主也？君恐不得爲臣，何暇從以難之？意者秦王不肖主也？君從以難之，未晚也。」《韓子·難二》曰：「不識臣之力也？抑君之力也？」《秦策》曰：「今應侯亡地而言不憂，此其情也？」《楚策》：「汗明謂春申君曰：『君料臣孰與舜？』春申君曰：『先生即舜也？』」《魏策》曰：「此於其親戚兄弟若此，而又況於仇讎之敵國也？」《史記·魏世家》「也」作「乎」。「也」與「邪」同義，故二字可以互用。昭二十六年《左傳》：「不知天之棄魯邪？抑魯君有罪於鬼神，故及此也？」《莊子·寓言篇》：「莫知其所終，若之何其無命也？莫知其所始，若之何其有命也？有以相應也，若之何其無鬼邪？無以相應也，若之何其有鬼邪？」《史記·淮南衡山傳》：「公以爲吴興兵是邪？非也？」《貨殖傳》：「豈所謂素封者邪？非也？」《漢書·龔遂傳》：「今欲使臣勝之邪？將安之也？」皆以「邪」、「也」互用。《顔氏家訓》曰：「北人呼『邪』爲『也』。」蓋二字聲本相近，故《大戴禮·五帝德篇》「請問黄帝者人邪？抑非人邪」，《樂記》正義引此「邪」作「也」。《莊子·大宗師篇》「夫造物者，又將以予爲此拘拘也」，《淮南·精神篇》「也」作「邪」。《秦策》「此乃公孫衍之所謂也」，《史記·張儀傳》「也」作「邪」。

矣

《説文》曰：「矣，語已詞也。」亦有在句中者，若《書・牧誓》曰「逷矣西土之人」，《詩・雄雉》曰「展矣君子」之屬是也。皆常語。

「矣」在句末，有爲起下之詞者，若《詩・漢廣》曰：「漢之廣矣，不可泳思。江之永矣，不可方思。」「矣」字皆起下之詞。《斯干》曰：「如竹苞矣，如松茂矣。兄及弟矣，式相好矣，無相猶矣。」第三「矣」字，爲起下之詞。《角弓》曰：「爾之遠矣，民胥然矣。爾之教矣，民胥傚矣。」第一、第三「矣」字，爲起下之詞。他皆放此。

矣，猶「乎」也。《易・師・彖傳》曰：「吉又何咎矣？」《无妄・彖傳》曰：「无妄之往，何之矣？」《詩・中谷有蓷》曰：「何嗟及矣？」《六月》曰：「侯誰在矣？」《正月》曰：「今茲之正，胡然厲矣？」《禮記・文王世子》曰：「女何夢矣？」隱十一年《左傳》曰：「邪而詛之，將何益矣？」《晉語》曰：「君何以訓矣？」隱三年《公羊傳》曰：「盍終爲君矣？」《論語・季氏篇》曰：「則將焉用彼相矣？」是也。

矣，猶「也」也。《詩・車攻》曰：「允矣君子，展也大成。」「允矣」與「允也」同。《禮記・緇衣》引作「允也君子」。《長發》曰：「允也天子。」《禮記・樂記》曰：「大章，章之也。咸池，備矣。韶，繼也。夏，大也。」「大章」、「咸池」、「韶」、「夏」，皆釋字義。「備矣」與「備也」同。《史記·樂書》作「備也」，集解：「王肅曰：『包容浸潤，行化皆然，故曰備也。』」《方言》：「備，咸也。」是「咸」與「備」同義。《論語·里仁篇》曰：「惡不仁者，其爲仁矣，不使不仁者加乎其身。」其爲仁矣，即其爲仁也。「也」、「矣」一聲之轉，故「也」可訓爲「矣」，「矣」亦可訓爲「也」。互見「也」字下。

矣，猶「耳」也。《趙策》曰：「則連有赴東海而死矣，《史記·魯仲連傳》「矣」作「耳」。吾不忍爲之民也。」《燕策》曰：「齊者，故寡人之所欲伐也，直患國弊力不足矣。」「矣」字竝與「耳」同義。

乎

説文：「乎，語之餘也。」《禮記·檀弓》正義曰：「乎者，疑辭。」皆常語也。高注《吕氏春秋·貴信篇》曰：「乎，於也。」亦常語。

乎，狀事之詞也。若《易·乾·文言》「確乎其不可拔」之屬是也。亦常語。

俞

《爾雅》曰：「俞，然也。」《書·堯典》：「帝曰：俞！」

於音「烏」

《詩・文王》傳曰：「於，歎詞也。」一言則曰「於」，下加一言則曰「於乎」。或作「於戲」，或作「烏呼」，其義一也。《小爾雅》曰：「烏乎，吁嗟也。」有所歎美，有所傷痛，隨事有義也。

猗

猗，歎詞也。《詩・猗嗟》曰：「猗嗟昌兮！」傳曰：「猗嗟，歎詞。」《那》曰：「猗與那與！」傳曰：「猗，歎詞。」《潛》曰：「猗與漆、沮。」與此同。《晉語》曰：「猗兮違兮。」韋注曰：「猗，歎也。」

猗，兮也。《書・秦誓》曰：「斷斷猗。」《禮記・大學》「猗」作「兮」。《詩・伐檀》曰：「坎坎伐檀兮，寘之河之干兮，河水清且漣猗。」「猗」猶「兮」也。故漢《魯詩》殘碑「猗」作「兮」。《莊子・大宗師篇》曰：「而已反其真，而我猶爲人猗。」「猗」亦「兮」也。

噫　意　懿　抑

噫，歎聲也。《詩・噫嘻》曰：「噫嘻成王。」傳曰：「噫，歎也。嘻，和也。」《釋文》「噫」作

「意」。《禮記·檀弓》：「國昭子曰：噫。」鄭注曰：「噫，不寤之聲。」哀十四年《公羊傳》：「子曰：噫。」何注曰：「噫，咄嗟貌。」《論語·子路篇》：「子曰：噫。」鄭注曰：「噫，心不平之聲。」《先進篇》：「子曰：噫。」包咸注曰：「噫，痛傷之聲。」高誘注《淮南·繆稱篇》曰：「意，恚聲。」又《詩·十月》曰：「抑此皇父。」箋曰：「抑之言噫，噫是皇父，疾而呼之。」《瞻卬》曰：「懿厥哲婦。」箋曰：「懿，有所痛傷之聲也。」「噫」、「意」、「懿」、「抑」，竝字異而義同。

嘻　譆　唉　誒　熙

嘻，歎聲也。《禮記·檀弓》：「夫子曰：嘻。」鄭注曰：「嘻，悲恨之聲。」僖元年《公羊傳》：「慶父聞之曰：嘻。」何注曰：「嘻，發痛語首之聲。」《大戴禮·少閒篇》：「公曰：嘻。」盧辯注曰：「嘻，歎息之聲。」《説文》：「譆，痛也。」《莊子·養生主篇》作「譆」，「文惠君曰：『譆。』」《魏策》作「誒」，「魏王曰：『誒。』」今本「誒」譌作「誤」。《史記·項羽紀》作「唉」，「唉，豎子不足與謀。」《漢書·翟義傳》作「熙」，「熙，我念孺子。」竝字異而義同。

吁

吁，歎聲也。常語也。字通作「呼」。《月令》：「大雩帝。」鄭注曰：「雩，吁嗟求雨之祭也。」《周官·女巫》疏引鄭荅林碩難曰：「董仲舒曰：雩，求雨之術，呼嗟之歌。」《莊子・在宥篇》：「鴻蒙仰而視雲將曰：吁。」釋文曰：「吁，亦作呼。」又見下。文元年《左傳》曰：「呼，役夫。」「呼」與「吁」同，歎恨之聲也。杜注：「呼，發聲也。」釋文：「好賀反。」皆失之。

《説文》曰：「吁，驚語也。」《于部》「吁」字注如此，其《口部》「吁」字注脱「語」字。《玉篇・口部》「吁」字注正作「驚語」也。《禮記・檀弓》曰：「曾子聞之，瞿然曰：呼。」《釋文》「呼」作「吁」。《正義》曰：「聞童子之言，乃更驚駭。」是也。鄭注：「呼，虚憊之聲。」失之。

經傳釋詞弟五

孔

《爾雅》曰：「孔，甚也。」《書·禹貢》「九江孔殷」，《史記·夏本紀》作「甚中」。

今

孫炎注《爾雅·釋詁》曰：「即，猶今也。」故「今」亦可訓爲「即」。《書·召誥》曰：「其丕能諴于小民，今休。」又曰：「王厥有成命，治民今休。」皆謂即致太平之美也。某氏傳釋上「今休」爲「成今之美」，下「今休」爲「治民今獲太平之美」，皆失之。《呂氏春秋·驕恣篇》曰：「齊宣王爲大室，三年而未能成。春居諫王，王曰：『寡人請今止之。』」《秦策》曰：「臣今見王獨立於廟朝矣。」《趙策》曰：「君因言王而重責之，蕳之軸今折矣。」《魏策》曰：「樓公將入矣，臣今從。」《韓策》曰：「十日之内，數萬之衆，今涉魏境。」《燕策》曰：「天下必以王爲能市馬，馬今至矣。」《史記·項羽紀》曰：「吾屬今爲之虜矣。」《鄭世家》曰：「晉兵今至矣。」《五子胥傳》

曰：「不來，今殺奢也。」「今」字竝與「即」同義。

今，指事之詞也。《考工記·輈人》曰：「今夫大車之轅摯。」《墨子·兼愛篇》曰：「今若夫攻城野戰，殺身而爲名。」《禮記·三年問》曰：「今是大鳥獸。」《晉語》：「今君之所聞也。」猶言是君之所聞也。宣十五年《公羊傳》「是何子之情也」，《韓詩外傳》「是」作「今」。皆指事之詞。

家大人曰：今，猶「若」也。《禮記·曾子問》曰：「下殤，土周葬于園。遂輿機而往，塗邇故也。今墓遠，則其葬也如之何？」「今墓遠」，若墓遠也。《管子·法法篇》曰：「君不私國，臣不誣能，正民之經也。今以誣能之臣，事私國之君，而能濟功名者，古今無之。」「今以」，若以也。

羌

《廣雅》曰：「羌，乃也。」《楚辭·離騷》曰「衆皆競進以貪婪兮，憑不猒乎求索。羌內恕己以量人兮，各興心而嫉妬」是也。字或作「慶」。《漢書·楊雄傳》：「懿神龍之淵潛兮，慶竢雲而將舉。」今本作「竢慶雲」，乃後人所改。辯見《讀書雜志》。張晏曰：「慶，辭也。」今本在下文「慶夭顇而喪榮」句下，亦後人所移。蕭該《音義》曰：「慶，音羌。」王注《離騷》曰：「羌，楚人語辭也，猶言卿何爲也。」義亦相近。

慭 魚覲反

慭，且也。哀十六年《左傳》：「旻天不弔，不慭遺一老，俾屏予一人以在位。」杜注曰：「慭，且也。」王肅注《家語·終記篇》同。應劭注《漢書·五行志》曰：「慭，且辭也。」言旻天不善於魯，不且遺一老，使屏蔽我一人也。昭二十八年《傳》：「祁盈之臣曰：鈞將皆死，慭使吾君聞勝與臧之死也以爲快。」「慭」亦「且」也。言鈞之將死，且使吾君聞勝、臧之死而快意也。杜以「慭」爲發語之音，於文義未協。

言

言，云也。語詞也。「話言」之「言」謂之「云」，語詞之「云」見「云」字下。亦謂之「言」。若《詩·葛覃》之「言告師氏，言告言歸」，《芣苢》之「薄言采之」，薄、言，皆語詞。後凡稱「薄言」者放此。《漢廣》之「言刈其楚」，《草蟲》之「言采其蕨」，後凡稱「言采」者放此。《柏舟》之「靜言思之」，《終風》之「寤言不寐，願言則嚏」，《簡兮》之「公言錫爵」，《泉水》之「還車言邁」、「駕言出遊」，後凡稱「駕言」者放此。《二子乘舟》之「願言思子」，《定之方中》之「星言夙駕」，《載馳》之

「言至于漕」，《氓》之「言既遂矣」，《伯兮》之「言樹之背」，《女曰雞鳴》之「弋言加之」，《小戎》之「言念君子」，《七月》之「言私其豵」，《彤弓》之「受言藏之」，《庭燎》之「言觀其旂」，後凡稱「言觀」者放此。《黄鳥》之「言旋言歸」，《我行其野》之「言就爾居」、「言歸斯復」，《大東》之「睠言顧之」，《荀子·宥坐篇》引作「眷焉」，《後漢書·劉陶傳》作「睠然」，「焉」與「然」皆語詞，則「言」亦語詞。《小明》之「興言出宿」，《楚茨》之「言抽其棘」、「備言燕私」，《都人士》之「言從之邁」，《采緑》之「言韔其弓」，《瓠葉》之「酌言嘗之」，《文王》之「永言配命」，後凡稱「永言」者放此。《抑》之「言緡之絲」、「言示之事」，《桑柔》之「瞻言百里」，《有客》之「言授之縶」，《有駜》之「醉言舞」及《左傳·僖九年》之「既盟之後，言歸于好」，《易·繫辭傳》之「德言盛，禮言恭」，謂君子勞謙，德盛禮恭也。言，語詞。皆與語詞之「云」同義。而毛、鄭釋《詩》，悉用《爾雅》「言，我也」之訓，或解爲「言語」之「言」，揆之文義，多所未安，則施之不得其當也。

宜　儀　義

家大人曰：宜，猶「殆」也。成二年《左傳》曰：「宜將竊妻以逃者也。」六年《傳》曰：「不安其位，宜不能久。」《孟子·公孫丑篇》曰：「宜與夫禮，若不相似然。」《滕文公篇》曰：「不見諸侯，宜若小然。」又曰：「枉尺而直尋，宜若可爲也。」《離婁篇》曰：「宜若無罪焉。」《盡心篇》曰：「宜若登天然。」《齊策》曰：「救趙之務，宜若奉漏甕，沃焦釜。」「宜」字竝與「殆」同義。

宜，助語詞也。《詩·螽斯》曰：「螽斯羽，詵詵兮。宜爾子孫，振振兮。」「宜爾子孫」，爾子孫也。言螽斯羽則詵詵然矣，爾子孫則振振然矣。故《序》曰：「言若螽斯不妬忌，則子孫衆多也。」箋云：「宜女之子孫使其無不仁厚。」失之。《小宛》曰：「哀我填寡，宜岸宜獄。」「宜岸」，岸也。「宜獄」，獄也。言我窮盡寡財之人，乃有此訟獄之事也。箋云：「仍得曰宜。」正義云：「在上謂之宜有此訟，宜有此獄。」皆失之。字通作「儀」。《詩·烝民》曰：「人亦有言，德輶如毛，民鮮克舉之。我儀圖之，維仲山甫舉之。」儀，助語詞。儀圖之，圖之也。傳訓「儀」爲「宜」，箋及《表記》注訓「儀」爲「匹」，文義皆未安。又通作「義」。《書·大誥》曰：「義爾邦君，越爾多士、尹氏、御事，綏予曰：無毖于恤，不可不成乃寧考圖功。」義，助語詞。言爾邦君，及爾多士、尹氏、御事，當安勉我也。猶上文言「爾庶邦君越庶士御事」矣。《漢書·翟方進傳》作「予義彼國君」，「義」上加「予」字，則已不知其爲語助。某氏傳解爲「施義於汝衆國君臣上下至御治事」者，而文益贅設。經言「義」，不言「施義」也。

可

可，猶「所」也。《禮記·中庸》：「體物而不可遺。」鄭注曰：「體，猶生也。」《易·乾·文言》：「君子體仁足以長人。」鄭注：「體，生也。」見《文選·陸機〈贈顧交阯公真詩〉》注。可，猶「所」也。不有所遺，言萬物無不以鬼神之氣生也。家大人曰：不，無也。說見「不」字下。萬物皆生於鬼神，是鬼神生物而無所遺也。又曰：《大戴禮·武王踐阼篇》席前右端之銘曰：「無行可悔。」可，所也。前有所悔，後不復行，故曰無行所悔。《說苑·敬慎篇》作「無行所悔」，是其證也。又曰：《賈子·諭誠篇》人謂豫讓曰：「子不死中行而反事其讎，何無可恥之甚也？」言無所恥之甚也。《史記·萬石君傳》：「衛綰自初官以至丞相，終無可言。」言始終一無所言也。《後漢書·竇憲傳〈燕然山銘〉》「茲所謂一勞而久逸，暫費而永寧者也」，《文選》「所」作「可」。「可」與「所」同義，故「可」得訓爲「所」，「所」亦得訓爲「可」。互見「所」字下。

幾

幾，詞也。《易·屯》六三：「君子幾不如舍。」王注：「幾，辭也。」正義曰：「幾爲語辭，不爲義也。」釋文：「幾，徐音祈。」《周語》曰：「其無乃廢先王之訓，而王幾頓乎？」幾，詞也。頓，猶廢也。

言「荒服者王」，先王之訓也。今犬戎氏以其職來王，而天子以不享征之，是廢先王之訓，而荒服來王之禮將從此廢矣。故下文遂云「自是荒服者不至」也。韋注訓「幾」爲「危」、「頓」爲「敗」，則是以「王」爲穆王矣。下文穆王得狼鹿以歸，未嘗危敗也。韋説失之。《莊子・徐無鬼篇》曰：「君雖爲仁義，幾且僞哉。」又曰：「非我與吾子之罪，幾天與之也。」《列子・仲尼篇》曰：「吾見子之心矣，方寸之地虚矣，幾聖人也。」《荀子・賦篇》曰：「聖人共手，時幾將矣。」楊倞注：「幾，辭也。」

幾，其也。《易・小畜》上九曰：「月幾望。」《集解》引虞注曰：「幾，其也。」今本「其」作「近」，蓋後人所改。案虞注曰：「坎月離日，兑西震東。日月象對，故月幾望。」是虞謂月與日相望，非但近於望而已。《歸妹》六五：「月幾望。」虞彼注曰：「幾，其也。坎月離日，兑西震東。日月象對，故曰幾望。」與《小畜》《中孚》「月幾望」同義。則《小畜》《中孚》「幾望」之「幾」亦訓爲「其」可知。《小畜》釋文：「幾，徐音祈。」正與「君子幾不如舍」之「幾」同音，蓋亦以爲語詞。

祈

祈，猶「是」也。《禮記・緇衣》引《君雅》曰：「資冬祈寒。」鄭注曰：「祈之言是也，齊西偏之語也。」

豈　幾

豈，詞之「安」也，「焉」也，「曾」也。見《廣韻》。常語也。字或作「幾」。《莊子·人間世篇》曰：「不爲社者，且幾有翦乎？」家大人曰：幾，讀爲「豈」。言雖不爲社，亦豈有翦伐之害乎？郭象訓「幾」爲「近」，失之。《荀子·榮辱篇》曰：「是其爲相縣也，幾直夫芻豢稻粱之縣糟糠爾哉？」楊倞注：「幾，讀爲豈，下同。」又曰：「幾不甚善矣哉？」《大略篇》曰：「利夫秋豪，害靡國家，然且爲之，幾爲知計哉？」《韓子·姦劫弒臣篇》曰：「處非道之位，被衆口之譖，溺於當世之言，而欲當嚴天子而求安，幾不亦難哉？」

豈，猶「其」也。《禮記·曾子問》曰：「昔者，史佚有子而死，下殤也。墓遠，召公謂之曰：『何以不棺斂於宮中？』史佚曰：『吾敢乎哉？』召公言於周公，周公曰：『豈不可。』」家大人曰：「豈不可」，其不可也。故鄭注曰：「言是豈於禮不可，不許也。」《釋文》《正義》皆以「豈」爲一句，「不可」爲一句，大誤。《吴語》曰：「大王豈辱裁之。」《孟子·滕文公篇》曰：「墨之治喪也，以薄爲其道也。夷子思以易天下，豈以爲非是而不貴也？」家大人曰：「豈以爲」，其以爲也。「也」與「邪」同。夷子以薄葬之道爲貴，非其道，則不貴之矣。故曰「非是而不貴」，「是」字正指薄葬而言。言夷子思以薄葬之道易天下，其以爲非此則不貴邪？然則厚葬者，夷子之所不貴，而夷子乃厚葬其親，則是以所不貴者事親也。故下文曰：「然而夷子葬其親厚，則是以所賤事親也。」趙注曰：「夷子豈肯以薄爲非是而不貴之也？」於語意未合。《莊子·外物篇》曰：「君豈有斗升之水而活我哉！」《秦策》曰：「子常宣言代我相秦，豈有此乎？」《齊策》曰：「君豈受楚象牀哉？」《燕策》曰：「將軍豈有意乎？」《史記·范雎傳》曰：「孺子豈有客習於相君者哉？」《魏公子傳》曰：「我豈有所失哉？」《李斯傳》曰：「丞相豈少我哉？豈固我哉？」字或作「幾」。《莊子·徐無鬼篇》曰：「非我與吾子之罪，幾天與之也？」《史記·黥布傳》曰：「人相我當刑而王，幾是乎？」徐廣曰：「幾，一作豈。」

蓋

蓋者，大略之詞。《孝經》：「蓋天子之孝也。」孔傳曰：「蓋者，辜較之辭。」「辜較」，猶大略也。常語也。

蓋，疑詞也。亦常語也。《禮記·檀弓》：「有子蓋既祥而絲屨組纓。」正義曰：「蓋是疑辭。」

蓋，語助也。《漢書·禮樂志〈郊祀歌〉》：「神夕奄虞蓋孔享。」顏師古注曰：「蓋，語辭也。」

厥

《爾雅》曰:「厥,其也。」常語。

厥,猶「之」也。《書·無逸》曰:「自時厥後,立王生則逸。生則逸。」又曰:「自時厥後,亦罔或克壽。」皆謂自是之後也。又曰:「此厥不聽,人乃訓之。」又曰:「此厥不聽,人乃或譸張爲幻。」皆謂此之不聽也。

厥,語助也。《書·多士》曰:「誕淫厥泆。」言誕淫泆也。《立政》曰:「文王惟克厥宅心,乃克立兹常事司牧人。」言文王惟克宅心也。

及

《爾雅》曰:「及,與也。」常語。

家大人曰:及,猶「若」也。《禮·樂記》曰:「樂極則憂,禮粗則偏矣。及夫敦樂而無憂,禮備而不偏者,其唯大聖乎?」「及夫」,若夫也。又曰:「及夫禮樂之極乎天而蟠乎地,行乎陰陽而通乎鬼神。」上文曰:「若夫禮樂之施於金石,越於聲音,用於宗廟社稷,事乎山川鬼神。」《祭法》曰:「及夫日月星辰,民所瞻仰也。山林川谷丘陵,民所取財用也。」《中庸》曰:「今夫天,斯昭昭之多。及其無窮也，日月星辰繫焉，萬物覆焉。」「及其」，若其也。言自其一處言之，則唯此昭昭之多。若自其無窮言之，則日月星辰萬物皆在其中。下文「及其廣厚」、「及其廣大」、「及其不測」竝同此意，非謂天地山川之大由於積累也。《管子·大匡篇》曰：「臣聞齊君惕而亟驕，雖得賢，庸必能用之乎？及齊君之能用之也，管子之事濟也。」言若齊君能用之，則管子之事必濟也。尹知章注：「及，猶就也。」非是。《老子》曰：「吾所以有大患者，爲吾有身。及吾無身，吾有何患？」言若吾無身也。又曰：「取天下常以無事，及其有事，不足以取天下。」言若其有事也。「及」與「若」同義，故「及」可訓爲「若」，「若」亦可訓爲「及」。互見「若」字下。

其

其，指事之詞也。常語也。

其，狀事之詞也。有先言事而後言其狀者，若「擊鼓其鏜」、「雨雪其雱」、「零雨其濛」之屬是也。有先言其狀而後言其事者，若「灼灼其華」、「殷其靁」、「淒其以風」之屬是也。

其，擬議之詞也。《易·困·彖傳》曰：「困而不失其所亨，其唯君子乎？」《乾·文言》曰：「其唯聖人乎？」《聘禮》曰：「君其以賜乎？」隱十一年《左傳》曰：「天其以禮悔禍于許？」

其，猶「殆」也。《易·復·彖傳》曰：「復其見天地之心乎？」《繫辭傳》曰：「知變化之道者，其知神之所爲乎？」又曰：「《易》之興也，其於中古乎？作《易》者，其有憂患乎？」《書·金縢》曰：「公曰：體，王其罔害。」《禮記·檀弓》曰：「吾今日其庶幾乎？」又曰：「將軍文氏之子，其庶幾乎？」隱六年《左傳》曰：「其陳桓公之謂乎？」《周語》曰：「王室其將卑乎？」「其」與「殆」同意，故又以「其殆」連文。《繫辭傳》曰「顏氏之子，其殆庶幾乎」是也。

其，猶「將」也。《易·否》九五曰：「其亡其亡。」《書·皋陶謨》曰：「無曠庶官，天工人其代之。」《湯誓》曰：「予其大賚女。」《盤庚》曰：「天其永我命于茲新邑。」《微子》曰：「今殷其淪喪。」《牧誓》曰：「稱爾戈，比爾干，立爾矛，予其誓。」《金縢》曰：「惟朕小子其新逆。」《康誥》曰：「爽惟天其罰殛我。」《酒誥》曰：「盡執拘以歸于周，予其殺。」《召誥》曰：「今天其命哲，命吉凶，命歷年。」《洛誥》曰：「茲予其明農哉。」《詩·蟋蟀》曰：「今我不樂，日月其除。」《七月》曰：「其始播百穀。」隱十一年《左傳》曰：「吾子孫其覆亡之不暇，而況能禋祀許乎？」僖七年曰：「鄭將覆亡之不暇。」《周語》曰：「其與能幾何？」《論語·爲政》曰：「其何以行之哉？」

其，猶「尚」也，庶幾也。《書·皋陶謨》曰：「帝其念哉。」《盤庚》曰：「其克從先王之烈。」《金縢》曰：「我其爲王穆卜。」《康誥》曰：「其尚顯聞于天。」「其」亦「尚」也，古人自有複語耳。《酒誥》曰：「其藝黍稷，奔走事厥考厥長。」《召誥》曰：「上下勤恤，其曰：我受天命，丕若有夏歷年，式勿替有殷歷年。」《洛誥》曰：「女其敬識百辟享。」《無逸》曰：「嗣王其監于茲。」《君奭》曰：「君肆其監于茲。」《立政》曰：「我其克灼知厥若。」《文侯之命》曰：「惟祖惟父，其伊恤朕躬。」《詩・伯兮》曰：「其雨其雨，杲杲出日。」其，猶庶幾也。隱三年《左傳》曰：「吾子其無廢先君之功。」《周語》曰：「王其祗祓，監農不易。」

其，猶「若」也。《詩・小旻》曰：「謀之其臧，則具是違。謀之不臧，則具是依。」《禮記・文王世子》曰：「公族其有死罪，則磬于甸人。其刑罪則纖剸，亦告于甸人。」僖九年《左傳》曰：「其濟，君之靈也。不濟，則以死繼之。」襄二十三年《傳》：「申豐對季武子曰：『其然，將具敝車而行。』」三十一年《傳》曰：「其輸之，則君之府實也。非薦陳之，不敢輸也。其暴露之，則恐燥濕之不時，而朽蠹以重敝邑之罪。」

其，猶「乃」也。《書・堯典》曰：「浩浩滔天，下民其咨。」《臯陶謨》曰：「撫于五辰，庶績其凝。」又曰：「以昭受上帝，天其申命用休。」《禹貢》曰：「嵎夷既略，濰、淄其道。」又曰：「淮、沂其乂，蒙、羽其藝。」《湯誓》曰：「今女其曰：『夏罪其如台？』」言今女乃曰：「夏罪其如何？」《高宗肜日》曰：「乃曰其如台？」文與此同。古者「台」與「何」同義，說見「台」字下。《盤庚》曰：「越其罔有黍穆。」「越其」，猶云「爰乃」也。《洪範》曰：「使羞其行而邦其昌。」言使羞其行而邦乃昌也。又曰：「女雖錫之福，其作女用咎。」又曰：「臣之有作福作威玉食，其害于而家，凶于而國。」又曰：「是之謂大同，身其康彊，子孫其逢。」「逢」字絶句，下「吉」字别爲句。説見《經義述聞》。《金縢》曰：「爾之許我，我其以璧與珪歸俟爾命。爾不許我，我乃屏璧與珪。」「其」亦「乃」也。《康誥》曰：「時乃大明服，惟民其勑懋和。若有疾，惟民其畢棄咎，若保赤子，惟民其康乂。」又曰：「我時其惟殷先哲王德，用康乂民。」《多士》曰：「予惟時其遷居西爾。」《洛誥》曰：「凡民惟曰不享，惟事其爽侮。」又曰：「公勿替刑，四方其世享。」《君奭》曰：「在昔上帝，割申勸寧王之德，其集大命于厥躬。」《多方》曰：「我惟時其教告之，我惟時其戰要囚之。」《詩·蝃蝀》曰：「朝隮于西，崇朝其雨。」《氓》曰：「桑之落矣，其黄而隕。」《蟋蟀》曰：「蟋蟀在堂，歲聿其莫。」聿，惟也。其，猶「乃」也。《七月》曰：「八月其穫。」又曰：「二之日其同，載纘武功。」又曰：「四之日其蚤，獻羔祭韭。」《沔水》曰：「我友敬矣，讒言其興。」我友敬矣，而讒言乃興。故毛傳曰：「疾王不能察讒也。」《巷伯》曰：「豈不爾受，既其女遷。」《大東》曰：「杼柚其空。」《賓之初筵》曰：「錫爾純嘏，子孫其湛。」《維清》曰：「假以溢我，我其收之。」《烈文》曰：「無封靡于爾邦，維王其崇之。念兹戎功，繼序其皇之。無競維人，四方其順之。不顯維德，百辟其刑之。」《禮記·月令》曰：「五者備當，上帝其饗。」桓六年《左傳》曰：「楚之羸，其誘我也。」莊二十二年《傳》曰：

「五世其昌，竝于正卿。」僖五年《傳》曰：「火中成軍，虢公其奔。」宣二年《傳》曰：「非馬也，其人也。」《周語》曰：「自今至于初吉，陽氣俱蒸，土膏其動。弗震弗渝，脈其滿眚，穀乃不殖。」又曰：「營室之中，土功其始。」《晉語》曰：「喪田不懲，禍亂其興。」《論語·爲政篇》曰：「是亦爲政，奚其爲爲政？」「其」與「乃」同意，故又以「乃其」連文。《康誥》曰：「乃其乂民。」又曰：「乃其速由文王作罰。」又曰：「女乃其速由茲義率殺。」《君奭》曰：「乃其墜命。」《多方》曰：「我乃其大罰殛之。」《晉語》曰：「彼得政而行其欲，得其所索，乃其釋君。」此猶「曷」、「何」同意，而《召誥》言「曷其奈何弗敬」；「克」、「堪」同意，而《多方》言「克堪用德」；「維」、「伊」同意，而《詩·頍弁》言「實維伊何」也。

其，猶「之」也。《書·盤庚》曰：「不其或稽，自怒曷瘳？」《康誥》曰：「朕其弟，小子封。」《詩·魚麗》曰：「物其多矣，維其嘉矣。」上「其」猶「之」也，下「其」則指物之詞。《大戴禮·保傳》曰：「凡是其屬，太師之任也。」桓六年《左傳》曰：「諸侯之大夫戍齊，齊人饋之餼，使魯爲其班。」成十五年《公羊傳》曰：「爲人後者爲之子。」又曰：「爲人後者爲其子。」《賈子·大政篇》曰：「故欲以刑罰慈民，辟其猶以鞭狎狗也，雖久弗親矣。欲以簡泄得士，辟其猶以弧怵鳥也，雖久弗得矣。」「其」與「之」同義，故「其」可訓爲「之」，「之」亦可訓爲「其」。互見「之」字下。

其，猶「寧」也。《易・繫辭傳》曰：「妻其可得見邪？」《書・盤庚》曰：「若火之燎于原，不可鄉邇，其猶可撲滅？」《大誥》曰：「厥考翼，其肯曰：予有後，弗棄基？」《酒誥》曰：「我其可不大監撫于時？」《多士》曰：「我其敢求位？」僖五年《左傳》曰：「一之謂甚，其可再乎？」十年《傳》曰：「欲加之罪，其無辭乎？」

其，更端之詞也。《易・无妄・彖辭》曰：「无妄，元亨利貞，其匪正有眚。」《書・無逸》曰：「其在高宗。」「其在祖甲。」

其，語助也。《易・小畜》初九曰：「復自道，何其咎？」《書・大誥》曰：「予曷其不于前寧人圖功攸終？」《康誥》曰：「未其有若女封之心。」《召誥》曰：「不其延。」《洛誥》曰：「敘弗其絶。」《呂刑》曰：「其今爾何懲？」上文曰：「今爾何監。」《棐誓》曰：「馬牛其風。」《詩・君子于役》曰：「曷其有佸？」上文曰：「曷至哉？」《鴇羽》曰：「曷其有所！」《揚之水》曰：「云何其憂？」《正月》曰：「終其永懷。」終，猶「既」也。説見「終」字下。《菀柳》曰：「于何其臻？」僖十五年《左傳》曰：「以德爲怨，秦不其然。」《晉語》曰：「多而驟立，不其集亡。」「其」字皆爲語助，無意義也。

其諸，亦擬議之詞也。桓六年《公羊傳》：「其諸以病桓與？」何注曰：「其諸，辭也。」《論語・學而篇》曰：「其諸異乎人之求之與？」

其音「記」 記 忌 己 迈

其，語助也。或作「記」，或作「忌」，或作「己」，或作「迈」，義竝同也。《詩·揚之水》曰：「彼其之子。」箋曰：「其，或作記，或作己，讀聲相似。」又《羔裘》「彼其之子」、襄二十七年《左傳》及《晏子·雜篇》竝作「己」。《候人》「彼其之子」，《表記》作「記」。《釋文》《唐石經》及各本竝同。監本改作「其」，非。僖二十四年《左傳》及《晉語》竝作「己」。文十四年《左傳》：「齊公子元不順懿公之爲政也，終不曰公，曰夫己氏。」《杜解補正》曰：「夫己氏，猶言彼己之子。」夫，猶彼也。説見「夫」字下。注、疏讀「己」爲「甲己」之「己」，非是。《詩·大叔于田》曰：「叔善射忌。」傳曰：「忌，辭也。」箋曰：「忌，讀如『彼己之子』之『己』。」《崧高》曰：「往近王舅。」箋曰：「近，辭也，聲如『彼記之子』之『記』。」毛居正《六經正誤》以「近」爲「迈」之譌。《説文》：「迈，讀與記同。」

其音「姬」 期 居

其，問詞之助也。或作「期」，或作「居」，義竝同也。《書·微子》曰：「予顛隮，若之何其？」鄭注曰：「其，語助也。齊魯之閒聲如『姬』。」見《史記·宋世家》集解。《詩·園有桃》曰：

「彼人是哉，子曰何其？」傳曰：「夫人謂我欲何爲乎？」《庭燎》曰：「夜如何其？」《頍弁》曰：「實維何期？」箋曰：「期，辭也。」《釋文》本亦作「其」。《禮記・檀弓》曰：「何居？我未之前聞也。」鄭注曰：「居，讀如姬姓之『姬』，齊魯之閒語助也。」又曰：「吾許其大而不許其細，何居？」《郊特牲》曰：「二日伐鼓，何居？」成二年《左傳》曰：「誰居？後之人必有任是夫！」襄二十三年《傳》曰：「誰居？其孟椒乎？」杜注：「居，猶與也。」《莊子・齊物論篇》曰：「何居乎？案：居，猶「乎」也，居下不當復有「乎」字，疑因下文而衍。《釋文》出「何居」二字，無「乎」字。形固可使如槁木，而心固可使如死灰乎？」

居

居，詞也。《易・繫辭傳》曰：「噫，亦要存亡吉凶，則居可知矣。」鄭、王注竝曰：「居，辭也。」《詩・柏舟》曰：「日居月諸。」正義曰：「居、諸者，語助也。」故《日月》傳曰：「日乎月乎。」不言「居」、「諸」也。《十月之交》曰：「擇有車馬，以居徂向。」居，語助。言擇有車馬以徂向也。箋曰：「擇民之富有車馬者，以往居于向。」先言往而後言居，未免倒置經文。《生民》曰：「其香始升，上帝居歆。」居，亦語助。「上帝居歆」，上帝歆也。箋曰：「上帝則安而歆饗之。」於義未安。《禮記・郊特牲》曰：「以鍾次之，以和居參之也。」居，亦語助。「居參之」，參之也。鄭注：「以金參居庭實之閒。」亦未安。

詎「巨」、「遽」二音　距　鉅　巨　渠　遽

《廣韻》曰：「詎，豈也。」字或作「距」，或作「鉅」，或作「巨」，或作「渠」，或作「遽」。《漢書·高祖紀》曰：「沛公不先破關中，公巨能入乎？」《史記·項羽紀》作「公豈敢入乎」。《孫寶傳》曰：「掾部渠有其人乎？」顏注：「渠，讀曰詎。詎，豈也。」「詎」與「豈」同義，故或以「豈詎」連文。《吳語》曰：「此志也，豈遽忘於諸侯之耳乎？」《呂氏春秋·具備篇》曰：「豈遽必哉？」《荀子·王制篇》曰：「豈渠得免夫累乎？」《正論篇》曰：「是豈鉅知見侮之爲不辱哉？」《墨子·公孟篇》曰：「雖子不得福，吾言何遽不善？而鬼神何遽不明？」《淮南·人閒篇》曰：「此何遽不能爲福乎？」《史記·鄭世家》曰：「往何遽必辱？」《陸賈傳》曰：「使我居中國，何渠不若漢？」《漢書》作「何遽」。家大人曰：「遽」亦「何」也，連言「何遽」者，古人自有複語耳。顏師古以「遽」爲「迫促」，失之。《莊子·齊物論篇》曰：「庸詎知吾所謂知之非不知邪？庸詎知吾所謂不知之非知邪？」徐邈本「詎」作「巨」。家大人曰：庸、詎，皆「何」也。李頤曰：「庸，用也。詎，何也。庸詎，猶言『何用』。」失之。《大宗師篇》曰：「庸詎知吾所謂天之非人乎？所謂人之非天乎？」《楚辭·哀時命》曰：「庸詎知其吉凶？」《淮南·齊俗篇》曰：「庸遽知世之所自窺我者乎？」《韓子·

難四》曰：「衛奚距然哉？」《秦策》曰：「君其試焉，奚遽叱也？」《史記・張儀傳》曰：「且蘇君在，儀寧渠能乎？」索隱曰：「渠，音『詎』。古字少，假借耳。」或言「豈遽」，或言「何遽」，或言「奚遽」，或言「庸詎」，或言「寧渠」，其義一而已矣。

詎，猶「苟」也。《晉語》曰：「且唯聖人，能無外患，又無内憂。詎非聖人，必偏而後可。」今本「詎」作「距」，此從宋明道本。又曰：「詎非聖人，不有外患，必有内憂。」皆謂苟非聖人也。成十六年《左傳》作「自非聖人」，意亦同也。

固　故　顧

固，猶「必」也。桓五年《左傳》曰：「蔡、衛不枝，固將先奔。」言必將先奔也。襄二十七年《公羊傳》：「女能固納公乎？」《呂氏春秋・任數篇》：「其説固不行。」《秦策》：「王固不能行也。」何、高注竝曰：「固，必也。」或作「故」，又作「顧」。《秦策》曰：「吴不亡越，越故亡吴。」《大戴禮・禮察篇》曰：「先王執此之正，堅如金石。行此之信，順如四時。處此之功，無私如天地爾。豈顧不用哉？」《史記・張耳陳餘傳贊》曰：「張耳、陳餘始居約時，相然信以死，豈顧問哉？」「豈顧」，豈必也。索隱曰：「謂然諸相信，雖死不顧。」非是。

固，猶「乃」也。《孟子・萬章篇》曰：「仁人固如是乎？」或作「故」，又作「顧」。《趙策》

曰：「雖强大不能得之於小弱，而小弱顧能得之於强大乎？」《吕氏春秋·制樂篇》曰：「我必有罪，故天以此罰我也。今故興事動衆以增國城，是重吾罪也。」下「故」字，與「乃」同義。《審己篇》曰：「臣以王爲已知之矣，王故尚未之知邪？」《齊策》：「田單謂貂勃曰：『單何以得罪於先生，故常見惡於朝？』」「故」與「乃」同義，故或以「故乃」連文。《莊子·徐無鬼篇》曰：「先生苦於山林之勞，故乃肯見於寡人。」

故

趙爽注《周髀算經》曰：「故者，申事之辭。」常語也。

故，本然之詞也。襄九年《左傳》曰：「然故不可誣也。」或作「固」，又作「顧」。《禮記·哀公問》曰：「固民是盡。」鄭注曰：「固，猶故也。」《吕氏春秋·必己篇》曰：「孟賁過於河，先其五。船人怒而以楫虓其頭，顧不知其孟賁也。」

故，猶「則」也。《墨子·天志篇》曰：「當若子之不事父，弟之不事兄，臣之不事君也。故天下之君子，與謂之不祥者。」與，即「舉」字。《莊子·齊物論篇》曰：「有成與虧，故昭氏之鼓琴也。無成與虧，故昭氏之不鼓琴也。」「故」字竝與「則」同義。《東周策》曰：「君必施於今之窮士，不必且爲大人者，故能得欲矣。」「故能」，則能也。《齊策》曰：「韓、魏戰而勝秦，則兵半折，四境不守。戰而不勝，以亡隨其後。是故韓、魏之所以重與秦戰，而輕爲之臣也。」「是故」，是則也。《易·豫·彖傳》曰：「天地以順動，故日月不過而四時不忒。聖人以順動，則刑罰清而民服。」昭二十年《左傳》曰：「夫火烈，民望而畏之，故鮮死焉。水懦弱，民狎而翫之，則多死焉。」《管子·版法解篇》曰：「明主能勝六攻而立三器，則國治。不肖之君，不能勝六攻而立三器，故國不治。」「故」亦「則」也，互文耳。

顧

顧，猶「但」也。《禮記·祭統》曰：「是故上有大澤，則惠必及下，顧上先下後耳。」《燕策》曰：「吾每念，常痛於骨髓，顧計不知所出耳。」《史記·越世家》曰：「彼非不愛其弟，顧有所不能忍者也。」

《史記·絳侯世家》索隱引許慎《淮南注》曰：「顧，反也。」《秦策》曰：「今三川周室，天下之市朝也。而王不爭焉，顧爭於戎狄。」高注曰：「顧，反也。」《燕策》曰：「子之南面行王事，而噲老不聽政，顧爲臣。」「顧」與「反」同義，故又以「顧反」連文。《齊策》曰：「夫韓、魏之兵未弊而我救之，是我代韓受魏之兵，顧反聽命於韓也。」《史記·蕭相國世家》曰：「蕭何未嘗有汗馬之勞，顧反居臣等上。」是也。

苟

苟，誠也。《論語·里仁篇》「苟志於仁矣」是也。常語也。

苟，且也。《論語·子路篇》「苟合矣」、「苟完矣」、「苟美矣」是也。亦常語。

苟，猶「但」也。《易·繫辭傳》曰：「苟錯諸地而可矣，藉之白茅，何咎之有？」言但置諸地而已可矣，而必藉之以白茅，謹慎如此，復何咎之有乎？桓五年《左傳》曰：「苟自救也，社稷無隕多矣。」襄二十八年《傳》曰：「小適大，苟舍而已，焉用壇？」「苟」字竝與「但」同義。

苟，猶「若」也。《易·繫辭傳》曰：「苟非其人，道不虛行。」

苟，猶「尚」也。《詩·君子于役》曰：「君子于役，苟無飢渴。」言尚無飢渴也。襄十八年《左傳》：「晉侯伐齊，將濟河，中行獻子禱曰：『苟捷有功，無作神羞。』」言尚捷有功也。《墨子·耕柱篇》曰：「季孫紹與孟伯常治魯國之政，不能相信，而祝於蘩社曰：今本「蘩」訛作「禁」，辯見《讀書雜志》。『苟使我和。』是猶弇其目而祝於蘩社曰：『苟使我皆視。』豈不繆哉？」言尚使我和、尚使我視也。

皋

皋，發語之長聲也。《儀禮·士喪禮》曰：「皋某復。」鄭注曰：「皋，長聲也。」

經傳釋詞弟六

乃 迺

乃，猶「於是」也。《書·堯典》曰「乃命羲和」是也。常語也。字或作「迺」。俗作「迺」、「廼」。《爾雅》曰：「迺，乃也。」

乃，猶「然後」也。《書·禹貢》曰「作十有三載乃同」是也。亦常語。

乃，猶「而」也。《春秋·宣八年》：「十月己丑，葬我小君頃熊。雨，不克葬。庚寅，日中而克葬。」《定十五年》：「九月丁巳，葬我君定公。雨，不克葬。戊午，日下昃，乃克葬。」《公羊傳》曰：「而者何？難也。乃者何？難也。《說文》：「乃，曳詞之難也。」曷爲或言『而』，或言『乃』？『乃』難乎『而』也。」案：「乃」與「而」對言之則異。《禮記·文王世子》曰「文王九十七乃終，武王九十三而終」是也。散言之則通。互見「而」字下。《儀禮·燕禮》：「大夫不拜乃飲。」鄭注曰：「乃，猶而也。」《大戴記·夏小正篇》：「匽之興，五日翕，望乃伏。」傳曰：「而伏云者，不知其死也，故謂之伏。」「而伏」，即「乃伏」也。襄七年《左傳》曰：「吾乃今而後知有卜筮。」「乃今而後」，即「而今而後」也。

乃，急詞也。《大戴記·夏小正篇》：「乃瓜。」傳曰：「乃者，急瓜之辭也。」

乃，猶「則」也。《易·繫辭傳》曰：「見乃謂之象，形乃謂之器。」《詩·生民》曰：「鳥乃去矣。」隱三年《左傳》曰：「將立州吁，乃定之矣。」皆是也。「乃」與「則」同義，故《書·般庚》「我乃劓殄滅之，無遺育」，哀十一年《左傳》作「則劓殄無遺育」。莊二十八年《左傳》「則可以威民而懼戎」，《晉語》「則」作「乃」。又或以「則乃」連文，《書·立政》曰「謀面用丕訓德，則乃宅人」是也。

乃，猶「其」也。《書·多士》曰：「爾乃尚有爾土，爾乃尚寧幹止。」「爾乃」，爾其也。《晉語》：「伯宗問曰：乃將若何？」「乃將」，其將也。今本無「乃」字，乃後人不曉古義而妄删之，據宋明道本補。《書·般庚》「乃有不吉不迪，顛越不共」，哀十一年《左傳》作「其有顛越不共」。「乃」與「其」同義，故或以「乃其」連文，互見「其」字下。

乃，猶「是」也。成二年《左傳》：「衛石稷謂孫良夫曰：子以衆退，我此乃止。」言我於此是止也。杜注：「我于此止禦齊師。」《晏子春秋·外篇》：「公曰：『吾聞之，五子不滿隅，一子可滿朝，非亟子邪？』」「亟子」，是子也。《莊子·德充符篇》：「子産蹴然改容更貌曰：『子無乃稱』。」猶曰子無稱是言也。

乃，猶「方」也，「裁」也。莊十年《穀梁傳》曰：「乃深其怨於齊，又退侵宋以衆其敵。」謂方深其怨於齊也。《大戴記·保傅篇》曰：「太子乃生，固舉之禮。」《賈子》「乃」作「初」。《呂氏春秋·義賞篇》曰：「天下勝者衆矣，而霸者乃五。」高注：「乃，猶裁也。」義竝同。

乃，猶「若」也。《書·般庚》曰：「女萬民乃不生生，暨予一人猷同心，先后丕降與女罪疾。」言汝萬民若不生生也。《洛誥》曰：「女乃是不蘉，乃時惟不永哉。」言汝若是不勉也。《孟子·公孫丑篇》曰：「乃所願，則學孔子也。」《莊子·盜跖篇》曰：「小人殉財，君子殉名。其所以變其情，易其性，則異矣。乃至於棄其所爲而殉其所不爲，則一也。」「乃」字竝與「若」同義。

乃，猶「且」也。《書·大誥》曰：「若考作室，既底法。厥子乃弗肯堂，矧肯構？厥父菑，厥子乃弗肯播，矧肯穫？」「乃」字竝與「且」同義。

乃，猶「寧」也。襄三十年《左傳》：「人謂子產就直助彊，子產曰：『豈爲我徒？國之禍難，誰知所敝？或主彊直，難乃不生？姑成吾所。』」乃，寧也。言禍難未知所敝，雖或主彊直之人，寧不生難乎？唯兩無所主，姑成吾所而已也。杜注：「言能彊能直，則可弭難。今三家未能，伯有方争。」於語意未合。「寧」、「乃」一聲之轉，故「乃」訓爲「寧」，「寧」亦訓爲「乃」。互見「寧」字下。

乃，異之之詞也。《書・般庚》曰：「女不憂朕心之攸困，乃咸大不宣乃心。」《詩・山有扶蘇》曰「不見子都，乃見狂且」是也。亦常語也。

乃，轉語詞也。《書・康誥》曰「有厥罪小，乃不可不殺」是也。亦常語。

乃如，亦轉語詞也。《詩・日月》曰：「乃如之人兮。」《蝃蝀》曰：「乃如之人也。」

乃若，亦轉語詞也。《墨子・兼愛篇》曰：「然而今天下之士君子曰然。句乃若兼，則善矣。」《孟子・離婁篇》曰：「乃若所憂則有之。」

乃若，發語詞也。《墨子・兼愛篇》：「子墨子言曰：『乃若夫少食、惡衣、殺身而爲名，此天下百姓之所皆難也。』」《孟子・告子篇》：「孟子曰：『乃若其情，則可以爲善矣。』」

乃，發聲也。《禮記・雜記》曰：「祝稱卜葬虞，夫曰乃。」鄭注曰：「乃某卜葬其妻某氏。」正義曰：「乃者，言之助也。」

寧

《説文》：「寧，願詞也。」徐鍇曰：「今人言寧可如此，是願如此也。」襄二十六年《左傳》引《夏書》曰「與其殺不辜，寧失不經」是也。常語也。

寧，猶「何」也。《易・繫辭傳》曰「寧用終日」是也。亦常語。

寧，猶「豈」也。成二年《左傳》曰「寧不亦淫從其欲以怒叔父」是也。亦常語。

寧，猶「將」也。《莊子・秋水篇》曰：「寧其死爲留骨而貴乎？寧其生而曳尾於塗中乎？」《呂氏春秋・貴信篇》曰：「君寧死而又死乎？其寧生而又生乎？」《趙策》曰：「人之情寧朝人乎？寧朝於人也？」「寧」字竝與「將」同義。《楚辭・卜居》曰：「吾寧悃悃款款，朴以忠乎？將送往勞來，斯無窮乎？」「寧」亦「將」也，互文耳。

寧，猶「乃」也。《毛鄭詩考正》曰：「《四月》首章：『胡寧忍予。』箋云：『寧，猶曾也。』案：寧，猶『乃』也，語之轉，下『寧莫我有』同。《雲漢》首章：『寧莫我聽。』寧，亦『乃』也。篇內『寧丁我躬』、『寧俾我遯』、『胡寧忍予』、『胡寧瘨我以旱』竝同。」家大人曰：「乃」、「寧」、「曾」，其義一也。《日月》之「寧不我顧」，《小弁》之「寧莫之知」，《四月》之「胡寧忍予」，箋竝曰：「寧，猶曾也。」又《正月》之「寧莫之懲」，《四月》之「寧莫我有」，《雲漢》之「寧莫我聽」、「寧丁我躬」、「寧俾我遯」，箋內皆以「曾」代「寧」，「曾」亦「乃」也。《論語・先進篇》「吾以子爲異之問，曾由與求之問」是也。又《雲漢》之「胡寧忍予」、「胡寧瘨我以旱」，箋內皆以「何曾」代「胡寧」。何曾，何乃也。《孟子・公孫丑篇》：「爾何曾比予於管仲？」趙注曰：「何曾，猶何乃。」是也。《桑柔》曰：「倬彼昊天，寧不我矜。」箋曰：「昊天乃倬然明大而不矜哀下民。」是箋亦訓「寧」爲「乃」也。又《正月》曰：「燎之方揚，寧或滅之。赫赫宗周，褒姒烕之。」言以燎火之盛，而乃有滅之者。亦如赫赫之宗周，而乃爲褒姒所滅也。箋釋上二句曰：「燎之方盛之時，寧有能滅息之者？」失之。辯見《經義述聞》，下竝同。《桑柔》曰：「民之貪亂，寧爲荼毒。」言民心貪樂禍亂，乃爲苦毒之行也。箋訓「寧」爲「安」，失之。《瞻卬》曰：「心之憂矣，寧自今矣，不自我先，不自我後。」言不自我先，不自我後，而乃自今也。正義曰：「天下人心之憂愁，所由來久遠，寧從今日矣。」失之。《禮記·內則》曰：「子婦有勤勞之事，雖甚愛之，姑縱之，而寧數休之。」言姑縱使勤勞，而乃數數休息之也。正義曰：「寧可數數休息。」失之。昭二十二年《左傳》：「寡君聞君有不令之臣爲君憂，無寧以爲宗羞。」言無乃以爲宗羞也。此「無寧」與他處言「無寧」者不同。杜注：「無寧，寧也。」失之。《賈子·禮篇》「不用命者，寧丁我網」，《史記·殷本紀》作「乃入吾網」。此皆古人謂「乃」爲「寧」之證。

寧，語助也。昭元年《左傳》曰：「是委君貺於草莽也，是寡大夫不得列於諸卿也。不寧唯是，又使圍蒙其先君。」「不寧唯是」，不唯是也。寧，語助耳。正義曰：「不寧，寧也。言寧有唯是之事。」失之。

能

能，猶「而」也。「能」與「而」古聲相近，說見《唐韻正》。故義亦相通。《詩·芄蘭》曰：「雖則佩觿，能不我知。」「能」當讀爲「而」。「雖則」之文，正與「而」字相應。言童子雖則佩觿，而實不與我相知也。（毛傳曰：「不自謂無知以驕慢人也。」箋曰：「此幼穉之君，雖佩觿與，其才能實不如我衆臣之所知爲也。」皆未合語意。辨見《經義述聞》。）下章「雖則佩韘，能不我甲」義與此同。《荀子・解蔽篇》：「爲之無益於成也，求之無益於得也，憂戚之無益於幾也，則廣焉能弃之矣。」《趙策》：「建信君入言於王，厚任葺以事能重責之。」「能」竝與「而」同。《管子・任法篇》：「是貴能威之，富能禄之，賤能事之，近能親之，美能淫之也。」下文五「能」字皆作「而」。又《侈靡篇》：「不欲强能不服，智而不牧。」（「能」與「而」同，尹知章以「能」字絶句，「不服」二字屬下讀，非是。）《晏子春秋・外篇》：「入則求君之嗜欲能順之，君怨良臣，則具其往失而益之。」《墨子・天志篇》：「少而示之黑謂黑，多示之黑謂白。少能嘗之甘謂甘，多嘗之甘謂苦。」《韓詩外傳》：「貴而下賤，則衆弗惡也。富能分貧，則窮士弗惡也。智而教愚，則童蒙者弗惡也。」崔駰《大理箴》：「或有忠能被害，或有孝而見殘。」「能」亦「而」也。

能，猶「乃」也。亦聲相近也。家大人曰：昭十二年《左傳》曰：「中美能黄，上美爲元，下美則裳。」「能」、「爲」、「則」三字相對爲文。能者，乃也。言中美乃黄，上美爲元，下美則裳也。《孫子・謀攻篇》曰：「故用兵之法：十則圍之，五則攻之，倍則分之，敵則能戰，少則能守，（今本「戰」、「守」下竝衍「之」字，辯見《讀書雜志》。）不若則能避之。」言敵則乃戰，少則乃守，不若則乃避之也。《魏策》曰：「奉陽君約魏。魏王將封其子，謂魏王曰：『王嘗身濟漳，朝邯鄲，抱葛、薛、陰成以爲趙養邑，而趙無爲王有也。王能又封其子河陽、姑宓乎？臣爲王不取也。』」言王乃又封其子乎，臣爲王不取也。《史記・淮陰侯傳》曰：「今韓信兵號數萬，其實不過數千。能千里而襲我，亦以罷極。」「以」與「已」同。言韓信兵不過數千，乃千里而襲我也。《太史公自序・佞幸傳》曰：「非獨色愛，能亦各有所長。」言非獨以色見愛，乃亦各有所長也。《列女傳・賢明傳》曰：「先生以不斜之故，能至於此。」言以不斜之故，乃至於此也。「能」與「乃」同義，故二字可以互用。《後漢書・荀爽傳》「鳥則雄者鳴鴝，雌能順服。獸則牡爲唱導，牝乃相從」是也。「能」與「乃」同義，故又可以通用。《淮南・人閒篇》「此何遽不能爲福乎」，《藝文類聚・禮部下》引「能」作「乃」。《漢書・匈奴傳》「東援海、代，南取江、淮，然後乃備」，《漢紀》「乃」作「能」是也。「乃」與「而」聲相近，故「能」訓爲「而」，又訓爲「乃」。「能」與「寧」一聲之轉，而同訓爲「乃」。故《詩》「寧或滅之」，《漢書・谷永傳》作「能或滅之」。宋祁曰：「姚本『能』作『寧』。」案此依《毛詩》改耳，各本多作「寧」。今據宋景祐本及王氏《詩攷》所引訂正。

徒

《吕氏春秋·異用》《離俗》二篇注竝曰："徒，但也。"常語也。

徒，猶"乃"也。《莊子·天地篇》曰："吾聞之夫子，事求可、功求成、用力少、見功多者，聖人之道。今徒不然。"言今乃不然也。《荀子·子道篇》："子路謂子貢曰：吾以夫子爲無所不知，夫子徒有所不知。"又曰："子貢謂子路曰：『女謂夫子爲有所不知乎？夫子徒無所不知。』"

獨

獨，猶"寧"也，豈也。《禮記·樂記》曰："且女獨未聞牧野之語乎？"襄二十六年《左傳》曰："夫獨無族姻乎？"

獨，猶"將"也。宣四年《左傳》曰："棄君之命，獨誰受之？"《楚語》曰："其獨何力以待之？"《孟子·滕文公篇》曰："一薛居州獨如宋王何？"

獨，猶"孰"也，何也。《吕氏春秋·必己篇》曰："孔子行於東野，今本作"孔子行道而息"，乃後人所改。辯見《讀書雜志》。馬逸，食人之稼，野人取其馬。子貢請往説之，畢辭，野人不聽。

有鄙人始事孔子者，請往説之。因謂野人曰：『子耕東海至於西海，吾馬何得不食子之禾？』其野人大説，相謂曰：『説亦皆如此其辯也？與「邪」同。獨如嚮之人？』解馬而與之。」高注曰：「獨，猶孰也。」

奈

奈，如也。《晉語》曰：「奈吾君何？」

奈何，如何也。《書·召誥》曰：「曷其奈何弗敬？」

奈何，或但謂之奈。《淮南·兵略篇》曰：「唯無形者無可奈也。」楊雄《廷尉箴》曰：「惟虐惟殺，人莫予奈。」「奈」即「奈何」也。

那

那者，「奈」之轉也。《魏志·毌丘儉傳》注載文欽《與郭淮書》曰：「所向全勝，要那後無繼何？」言奈後無繼何也。故《廣雅》曰：「奈，那也。」

那者，「奈何」之合聲也。宣二年《左傳》曰：「棄甲則那？」杜注：「那，猶何也。」《日知録》曰：「直言之曰那，長言之曰奈何，一也。」

《爾雅》曰：「那，於也。」「於」讀如字。郭讀爲「於乎」之「於」，又云：「那，猶今人言那那也。」皆非。辯見《經義述聞》。《越語》曰：「吴人之那不穀，亦又甚焉。」韋注用《爾雅》。

都

《爾雅》曰：「都，於也。」「於」讀如字。《孟子·萬章篇》曰：「謨蓋都君咸我績。」趙注用《爾雅》。《史記·司馬相如傳》曰：「揆厥所元，終都攸卒。」集解引《漢書音義》與趙注同。「都」、「諸」聲相近，故「諸」訓爲「於」，「都」亦訓爲「於」，而「孟諸」字又作「明都」也。

都，歎詞也。《書·堯典》：「驩兜曰：都。」某氏傳曰：「都，於，音「烏」。歎美之辭。」故《皋陶謨》「皋陶曰：都」，《史記·夏本紀》「都」作「於」。

當

當，猶「將」也。《儀禮·特牲饋食禮記》：「佐食當事，則户外南面。」鄭注曰：「當事，將有事而未至。」《孟子·離婁篇》曰：「言人之不善，當如後患何！」《韓子·外儲説右篇》：「太公望曰：『且先王之所以使其臣民者，非爵禄，則刑罰也。今四者不足以使之，則望當誰爲君乎？』」《史記·魏公子傳》曰：「公子當何面目立天下乎？」又《留侯世家》曰：「横絶四海，當可奈何？」「當」字竝與「將」同義。

當，猶「則」也。《墨子・辭過篇》曰：「君實欲天下之治而惡其亂也，當爲宫室不可不節。」又曰：「君實欲天下之治而惡其亂，當爲衣服不可不節。」又曰：「君實欲天下之治而惡其亂，當爲食飲不可不節。」「當」字竝與「則」同義。

當，猶「如」也。《墨子・明鬼篇》曰：「燕之有祖，當齊之有社稷，宋之有桑林，楚之有雲夢也。」僖三十三年《左傳》：「鄭之有原圃，猶秦之有具囿也。」

儻　黨　當　尚

儻，或然之詞也。字或作「黨」，或作「當」，或作「尚」。《莊子・繕性篇》曰：「物之儻來寄也。」釋文：「儻，崔本作黨。」《荀子・天論篇》曰：「夫日月之有蝕，風雨之不時，怪星之黨見。」「黨見」，或見也。楊注訓「黨」爲「頻」，《九經古義》訓爲「所」，皆非。辯見《讀書雜志》。《史記・淮陰侯傳》曰：「恐其黨不就。」《漢書・伍被傳》曰：「黨可以徼幸。」《墨子・法儀篇》曰：「然則奚以爲治法而可？當皆法其父母奚若？」又曰：「當皆法其君奚若？」《兼愛篇》曰：「當使若二士者言行之合，猶合符節也，無言而不行也。」若，此也。言儻使此二士之言行相合，則無言而不行也。《非樂篇》曰：「然則當爲之撞巨鐘，擊鳴鼓，彈琴瑟，吹竽笙而揚干戚，民衣食之財將安可得乎？」安，猶「於是」也。說見「安」字下。又《尚賢篇》曰：「尚欲祖述堯、舜、禹、湯之道，將不可以不尚賢。」「黨」、「當」、「尚」，竝與「儻」同。

殆

殆者，近也，《周語》、《鄭語》注及《呂氏春秋·高義》《士容》二篇注竝同。幾也《禮記·檀弓》注，將然之詞也。《書·顧命》曰：「殆弗興弗寤。」

誕

誕，發語詞也。《書·大誥》曰：「殷小腆，誕敢紀其敘。」又曰：「誕鄰胥伐于厥室。」《君奭》曰：「誕無我責。」《多方》曰：「須暇之子孫，誕作民主。」《詩·皇矣》曰：「誕先登于岸。」《生民》曰「誕彌厥月」、「誕寘之隘巷」、「誕實匍匐」、「誕后稷之穡」、「誕降嘉種」、「誕我祀如何」。諸「誕」字皆發語詞。說者用《爾雅》「誕，大也」之訓，則詰鞫爲病矣。

誕，句中助詞也。《書·大誥》曰「肆朕誕以爾東征」是也。說者訓爲「大」，亦失之。

迪

迪，詞之「用」也。《書・牧誓》「昏棄厥遺王父母弟不迪」，《史記・周本紀》「不迪」作「不用」。「迪」爲「不用」之「用」，又爲語詞之「用」，義相因也。《書・皋陶謨》曰：「咸建五長，各迪有功。」言各用有功也。《大誥》曰：「亦惟十人，迪知上帝命。」言惟此十人用知上帝命也。王肅曰：「民十夫用知天命。」《康誥》曰：「今惟民不静，未戾厥心，迪屢未同。」《多方》曰：「爾乃迪屢不静。」亦謂用屢未同、用屢不静也。《酒誥》曰：「在昔殷先哲王，迪畏天顯小民。」言用畏天顯小民也。《無逸》曰：「自殷王中宗，及高宗，及祖甲，及我周文王，兹四人迪哲。」言惟兹四人用哲也。《君奭》曰：「兹迪彝教文王蔑德。」言惟此五人用常教文王以精微之德也。又曰：「亦惟純右秉德，迪知天威，乃惟時昭文王迪見冒。」亦謂用知天威、用見勉也。「冒」，馬本作「勖」，云：「勉也。」説見《經義述聞・康誥》。又曰：「武王惟兹四人，尚迪有禄。」言惟兹四人，尚用有禄也。《立政》曰：「迪知忱恂于九德之行。」亦謂用知誠信于九德之行也。「迪知上帝命」、「迪知天威」、「迪知忱恂于九德之行」，文義正相近也。《史記・夏本紀》「各迪有功」作「各道有功」。某氏傳於諸「迪」字，或訓爲「道」，或訓爲「蹈」，皆於文義未協。

迪，發語詞也。《書・般庚》曰：「迪高后丕乃崇降弗祥。」言高后丕乃崇降不祥也。上文曰：「高后丕乃崇降罪疾。」迪，語詞耳。《君奭》曰：「迪惟前人光施于我沖子。」《立政》曰：「古之人迪惟有夏。」兩「迪」字亦是語詞。王肅注及某氏傳或訓爲「道」，或訓爲「蹈」，亦於文義未協。

迪，句中語助也。《酒誥》曰「又惟殷之迪諸臣惟工」是也。某氏訓爲「蹈」，亦失之。

直

直，猶「特」也，《呂氏春秋·忠廉》《分職》二篇注竝云：「特，猶直也。」「但」也。《淮南·精神篇》注《禮記·祭義》曰：「參，直養者也，安能爲孝乎？」文十一年《穀梁傳》曰：「不言帥師而言敗，何也？直敗一人之辭也。」《孟子·梁惠王篇》曰：「直不百步耳，是亦走也。」《莊子·德充符篇》曰：「某也直後而未往耳。」《荀子·榮辱篇》曰：「是其爲相縣也，幾直夫芻豢之縣糟糠爾哉？」「幾」與「豈」同。《齊策》曰：「衍非有怨於儀，直所以爲國者不同耳。」「直」、「特」古同聲，故《詩·柏舟》「實維我特」，《韓詩》「特」作「直」。《史記·叔孫通傳》「吾直戲耳」，《漢書》「直」作「特」。

直，猶「特」也，「專」也。《晏子·雜篇》曰：「齊命使各有所主，其賢者使之賢主，不肖者使之不肖主。嬰最不肖，故直使楚矣。」「直使楚」，特使楚也。《韓詩外傳》曰：「臣里母相善婦見疑盜肉，其姑去之。恨而告于里母，里母曰：『安行？今令姑呼女。』即束蘊請火去婦之家，曰：『吾犬爭肉相殺，請火治之。』姑乃直使人追去婦還之。」言特使人追還去婦也。《史記·留侯世家》曰：「良嘗閒從容步游下邳汜上，今本《史記》、《漢書》「汜」作「圯」，皆後人所改，劉攽、宋祁已辯之。有一老父衣褐至良所，直墮其履汜下，顧謂良曰：『孺子下取履！』」言特墮其履於橋下，使良取之也。《史記》、《漢書》注解「直」字皆誤，辯見《讀書雜志》。《梁孝王世家》曰：「平王襄直使人開府，取罍樽賜任王后。」言特使人取罍樽賜之也。以上四「直」字亦訓爲「特」，而與前異義。

疇　𢏚　𠷎

爾雅曰：「疇，誰也。」《書·堯典》「帝曰：疇咨若時登庸」，《史記·五帝紀》作「誰可順此事」。字本作「𢏚」，又作「𠷎」。《說文》：「𠷎，誰也。」今本作「𢏚」，非。據《廣韻》引改。又曰：「𠷎，詞也。」《虞書》曰：『帝曰：𠷎咨。』」

疇，發聲也。《禮記·檀弓》曰：「予疇昔之夜。」鄭注：「疇，發聲也。」昔，猶前也。宣二年《左傳》曰:「疇昔之羊子爲政。」「疇」、「誰」,一聲之轉,故「疇昔」之轉爲「誰昔」。互見「誰」字下。

經傳釋詞弟七

而

而者，承上之詞，或在句中，或在句首，其義一也。常語也。

《漢書·韋賢傳》注曰：「而者，句絶之辭。」《詩·著》曰：「俟我於著乎而。」《論語·子罕篇》引《詩》曰：「唐棣之華，偏其反而。」《微子篇》曰：「已而已而。」宣四年《左傳》曰：「若敖氏之鬼，不其餒而。」《逸周書·芮良夫篇》曰：「不其亂而。」

而，猶「如」也。《易·明夷·象傳》曰：「君子以莅衆，用晦而明。」虞注曰：「而，如也。」《詩·君子偕老》曰：「胡然而天也？胡然而帝也？」毛傳曰：「尊之如天，審諦如帝。」《都人士》曰：「垂帶而厲。」箋曰：「而厲，如鞶厲也。」昭四年《左傳》曰：「牛謂叔孫：『見仲而何？』」杜注曰：「而何，如何也。」《管子·樞言篇》曰：「能而稷乎？能而麥乎？」《孟子·萬章篇》曰：「而居堯之宫，逼堯之子，是篡也。」《荀子·仲尼篇》曰：「財利至，則言善而不及也。」楊倞注：「而，如也。」《吕氏春秋·順説篇》曰：「與生與長，而言之與響。」《齊策》曰：「而此者三。」高注：「而，如也。」《漢書·賈誼傳》曰：「變化而嬗。」《史記索隱》引韋昭注：「而，如也。」「而」字竝與「如」同義。「而」與「如」同義，故二字可以互用。《詩·都人士》曰：「彼都人士，垂帶而厲。彼君子女，卷髮如蠆。」《大戴記·衛將軍文子篇》曰：「滿而不滿，實如虛，過之如不及。」《孟子·離婁篇》曰：「文王視民如傷，望道而未之見。」《荀子·彊國篇》曰：「黭然而雷擊之，如牆厭之。」《説苑·奉使篇》曰：「意而安之，願假冠以見。意如不安，願無變國俗。」皆以「如」、「而」互用。故《詩》「垂帶而厲」，《內則》注引「而」作「如」。《荀子·哀公篇》「從物如流」，《大戴記·哀公問五義篇》「如」作「而」。襄十二年《左傳》「夫婦所生若而人」，《晉書·禮志》「而」作「如」。《史記·鄒陽傳》「白頭如新，傾蓋如故」，《新序·雜事篇》「如」竝作「而」。

而，猶「若」也。「若」與「如」古同聲，故「而」訓爲「如」，又訓爲「若」。《大戴記·衛將軍文子篇》：「孔子曰：『而商也，其可謂不險也。』」「而商也」與《論語》「若由也」同義。襄二十九年《左傳》曰：「且先君而有知也。」與上文「先君若有知也」同義。「而」與「若」同義，故二字可以互用。《詩·猗嗟》曰：「頎而長兮，抑若揚兮。」而、若皆然也。毛傳：「抑，美色。揚，廣揚。」昭二十六年《左傳》：「晏子曰：『後世若少惰，陳氏而不亡，則國其國也已。』」皆以「而」「若」互用。故《書·康誥》「若有疾」，《荀子·富國篇》「若」作「而」。《詩·甫田篇》「突而弁兮」、《猗嗟篇》「頎而長兮」，《正義》「而」竝作「若」。《都人士篇》「垂帶而厲」，《淮南・氾論篇》注「而」作「若」。襄三十年《左傳》「子産而死」，《吕氏春秋・樂成篇》「而」作「若」。《周官・旅師》「而用之」，鄭注：「而，讀爲若。」案，「而」亦可讀爲「如」，《論語》「如用之」是也。

而，猶「然」也。《書・皋陶謨》曰：「啟呱呱而泣。」言呱呱然泣也。《詩・野有死麕》曰：「舒而脱脱兮。」箋曰：「脱脱然舒。」《甫田》曰：「突而弁兮。」箋曰：「突爾加冠爲成人。」「爾」亦「然」也。《猗嗟》曰：「頎而長兮。」説見上。文十七年《左傳》曰：「鋌而走險。」杜注：「鋌，疾走貌。」宣十二年《傳》曰：「及楚殺子玉，公喜而後可知也。」

而，猶「乃」也。「乃」與「而」對言之則異，散言之則同，説見「乃」字下。《詩・杕杜》曰：「期逝不至，而多爲恤。」言乃多爲憂也。《鄉射禮》曰：「而錯。」言乃錯也。《大戴記・曾子本孝篇》曰：「如此而成於孝子也。」言如此乃成爲孝子也。《檀弓》曰：「而曰然。」鄭注：「而，猶乃也。」《祭義》曰：「已徹而退，無敬齊之色，而忘本也。」言乃忘本也。鄭以「而」爲衍字，失之。《昏義》曰：「禮之大體，而所以成男女之别，而立夫婦之義也。」言乃所以成男女之别，立夫婦之義也。宣十三年《左傳》曰：「誅而薦賄，則無及也。」言誅乃薦賄也。成十六年《傳》：「《夏書》曰：『怨豈在明，不見是圖。』將慎其細也，今而明之，其可乎？」言今乃明之也。昭元年《傳》曰：「賈而欲贏，而惡囂乎？」言乃惡囂也。哀四年《傳》曰：「如牆而進，多而殺二人。」言多乃殺二人也。二十五年《傳》曰：「衆怒難犯，休而易閒也。」言休乃易閒也。《周語》曰：「匹夫專利，猶謂之盜。王而行之，其歸鮮矣。」言王乃行之也。宣十五年《公羊傳》曰：「吾今取此，然後而歸爾。」言然後乃歸也。莊十二年《穀梁傳》曰：「國而曰歸，此邑也，其曰歸，何也？」言國乃曰歸也。《論語·泰伯篇》曰：「而今而後，吾知免夫。」言乃今而後也。襄七年《左傳》：「吾乃今而後知有卜筮。」故《堯典》「試可乃已」，《史記·五帝紀》作「試不可用而已」。《禮記·曲禮》「卒哭乃諱」，《雜記》「乃」作「而」。僖二十八年《左傳》「數之以其不用僖負羈，而乘軒者三百人也」，《史記·曹世家》「而」作「乃」。《史記·淮陰侯傳》「相君之背，貴乃不可言」，《漢書·蒯通傳》「乃」作「而」。

而，猶「則」也。《易·繫辭傳》曰：「君子見幾而作，不俟終日。」言見幾則作也。僖十五年《左傳》曰：「何爲而可？」言何爲則可也。襄十八年《傳》曰：「若可，君而繼之。」言君則繼之也。《楚語》曰：「若防大川焉，潰而所犯必大矣。」言潰則所犯必大也。莊三十二年《公羊傳》曰：「君親無將，將而誅焉。」言將則誅也。又《晉語》曰：「文公學讀書于臼季，三日，曰：『吾不能行咫，「咫」猶「耳」也。今本「咫」上有「也」字，乃後人所加。辯見「咫」字下。聞則多矣。』對曰：『然而多聞以待能者，不猶愈也？』」「也」與「邪」同。俗本「也」作「乎」，乃後人所改，今從宋本。「然而」，然則也。「而」與「則」同義，故二字可以互用。《喪服傳》曰：「何如而可爲之後，同宗則可爲之後。」「而」亦「則」也。下文曰：「何如則可謂之兄弟。」《禮記・喪服小記》曰：「士妾有子而爲之緦，無子則已。」《墨子・明鬼篇》曰：「非父則母，非兄而姒也。」《史記・欒布傳》曰：「與楚則漢破，與漢而楚破。」皆以「而」、「則」互用。故《喪服小記》「有五世而遷之宗」，《大傳》「而」作「則」。《樂記》「喜則天下和之，怒則暴亂者畏之」，《荀子・樂論篇》「則」竝作「而」。《孟子・公孫丑篇》「可以仕則仕，可以止則止。可以久則久，可以速則速」，《萬章篇》「則」竝作「而」。《秦策》「物至而反，致至而危」，《史記・春申君傳》「而」竝作「則」。《燕策》「然而王何不使布衣之人，以窮齊之説説秦」，《史記・蘇秦傳》「然而」作「然則」。《漢書・鄒陽傳》「然而計議不得，雖諸、賁不能安其位，亦明矣」，《文選》亦作「然則」。

家大人曰：而，猶「以」也。楊倞注《荀子・彊國篇》曰：「而往，猶已上也。」「已」與「以」同。凡書傳中言「而上」、「而下」、「而前」、「而後」者，皆放此。《書・顧命》曰：「眇眇予末小子，其能而亂四方。」言其能以治四方也。某氏傳：「能如父祖治四方。」失之。《墨子・尚賢篇》曰：「使天下之爲善者可而勸也，爲暴者可而沮也。」又曰：「上可而利天，中可而利鬼，下可而利人。」《莊子・天下篇》曰：「其風竅然，惡可而言。」《呂氏春秋・去私篇》曰：「晉平公問于祁黄羊曰：『南陽無令，其誰可而爲之？』」「可而爲」，可以爲也。高注：「而，能也。」失之。辯見《讀書雜志》。《不屈篇》曰：「惠子曰：『若王之言，則施不可而聽矣。』」《用民篇》曰：「處次官，執利勢，不可而不察於此。」以上凡言「可而」者，皆謂「可以」也。《荀子・成相篇》曰：「子胥進諫不聽，剄而獨鹿棄之江。」言剄以屬鏤之劍而棄之江也。楊注：「獨鹿，與屬鏤同。」「而」與「以」同義，故二字可以互用。宣十五年《左傳》曰：「敝邑易子而食，析骸以爨。」《墨子・尚同篇》曰：「上用之天子，可以治天下矣。中用之諸侯，可而治其國矣。下用之家君，可而治其家矣。」《史記・趙世家》曰：「聲以德與國，實而伐空韓。」皆以「而」、「以」互用。又見「以」字下。故《繫辭傳》「上古結繩而治」，《論衡・齊世篇》引「而」作「以」。襄十一年《左傳》「和諸戎狄以正諸華」，《晉語》「以」作「而」。昭元年《傳》「櫜甲以見子南」，《考工記・函人》注引「以」作「而」。《魏策》「無河山以闌之，無周、韓以閒之」，《史記・魏世家》「以」作「而」。

而，猶「與」也，「及」也。《論語・雍也篇》曰：「不有祝鮀之佞，而有宋朝之美，難乎免於今之世矣。」言有祝鮀之佞，與有宋朝之美也。皇侃疏：「言人若不有祝鮀佞，及有宋朝美，則難免今之患難也。」「及」亦「與」也。《墨子・尚同篇》曰：「聞善而不善，皆以告其上。」言善與不善也。《韓子・說林篇》曰：「以管子之聖而隰朋之智。」言管仲與隰朋也。「而」、「與」聲之轉，故《莊子・外物篇》「與其譽堯而非桀」，《大宗師篇》「與」作「而」。

如

《廣雅》曰："如，若也。"常語。

昭十二年《公羊傳》注曰："如，猶奈也。"凡經言"如何"、"如之何"者皆是。

如，詞助也。《易·屯》六二："屯如亶如。"子夏《傳》曰："如，辭也。"

如，猶"然"也。若《論語·鄉黨篇》"恂恂如"、"踧踖如"、"勃如"、"躩如"之屬，是也。《詩·旄丘》曰："褎如充耳。"毛傳："褎然有尊盛之服。"《野有蔓草》曰："婉如清揚。"義亦同也。"如"、"然"語之轉，故《詩·葛屨》"宛然左辟"，《説文》引作"宛如左僻"。

如，猶"而"也。《詩·柏舟》曰："耿耿不寐，如有隱憂。""如有"，而有也。正義曰："如人有痛疾之憂。"失之。辯見《經義述聞》。《車攻》曰："不失其馳，舍矢如破。""如破"，而破也。家大人曰："舍矢而破"與"舍拔則獲"同意，皆言其中之速也。《楚策》云："壹發而殪。"意亦與此同。箋曰："如椎破物。"《孟子·滕文公篇》趙注曰："應矢而死者如破。"皆誤解"如"字。《大戴記·王言篇》曰："使有司月省如時考之。"《夏小正篇》曰："記鴻雁之遰也，如不記其鄉何也？"《保傅篇》曰："則親疏有序，如恩相及矣。""如"字竝與"而"同義。《禮記·檀弓》曰："天下豈有無父之國哉，吾何行如之？"如，而也。之，至也。何行而至，言無可至之國也。宣十七年《穀梁傳》曰："兄弟也，何去而之？」范注曰：「言無所至。」是也。《晉語》作「吾誰鄉而入」，意亦同也。隱七年《左傳》曰：「及鄭伯盟，歃如忘。」服虔曰：「如，而也。」莊七年《傳》曰：「星隕如雨，與雨偕也。」劉歆曰：「如，而也。星隕而且雨，故曰與雨偕也。」見《漢書·五行志》。襄二十三年《傳》曰：「非鼠如何？」宣六年《公羊傳》曰：「此非弑君如何？」唐石經及蜀本、宋本竝如是，今本改「如」爲「而」。《晏子·諫篇》曰：「聾瘖，非害國家如何也？」《楚策》曰：「非故如何也？」《趙策》曰：「非反如何也？」竝與「而何」同義。又昭六年《左傳》曰：「火如象之，不火何爲？」《逸周書·後大匡篇》曰：「勇如害上，則不登於明堂。」《管子·水地篇》曰：「男女精氣合而水流形，三月如咀。」《荀子·儒效篇》曰：「鄉是如不臧，倍是如不亡者，自古及今，未嘗有也。」「如」字亦與「而」同義。《大戴記·保傅篇》曰：「安如易，樂而湛。」《文王官人篇》曰：「合志如同方，共其憂而任其難。」《春秋繁露·王道通三篇》曰：「施其時而成之，法其命如循之。」《鹽鐵論·世務篇》曰：「見利如前，乘便而起。」「如」亦「而」也，互文耳。故《左傳》「歃如忘」，《說文》「如」作「而」。「火如象之」，《漢書·五行志》「如」作「而」。《荀子·勸學篇》「君子博學而日參省乎己」，《大戴記》「而」作「如」。

如，猶「乃」也。《詩·常武》曰：「王奮厥武，如震如怒。」言乃震乃怒也。箋曰：「而震雷其聲，而勃怒其色。」「而」亦「乃」也。正義曰：「如天之震雷其聲，如人之勃怒其色。」則誤解「如」字矣。《大戴記·少問篇》曰：「臣之言未盡，請盡臣之言，君如財之。」言請俟臣之言盡，君乃裁之也。《論語·憲問篇》曰：「桓公九合諸侯，不以兵車，管仲之力也。如其仁！如其仁！」言管仲不用民力而天下安，乃其仁，乃其仁也。孔傳曰：「誰如管仲之仁？」加「誰」字以解之，于文義未安。

如，猶「則」也。《史記·淮南王傳》：「王曰：『上無太子，宮車即晏駕，廷臣必徵膠東王，不如常山王。』」「不」與「否」同。言廷臣必徵膠東王，否則常山王也。《漢書》作「不即常山王」，「即」亦「則」也。

如，猶「不如」也。隱元年《公羊傳》曰：「母欲立之，己殺之，如勿與而已矣。」何注曰：「『如』即『不如』，齊人語也。」

如，猶「當」也。《宋策》曰：「夫宋之不足如梁也，寡人知之矣。」高注曰：「如，當也。」「如」爲「相當」之「當」，又爲「當如是」之「當」。僖二十二年《左傳》曰：「若愛重傷，則如勿傷。愛其二毛，則如服焉。」正義曰：「如，猶不如，古人之語然，猶似敢即不敢。」家大人曰：孔說非也。如，猶「當」也。言若愛重傷，則當勿傷之。愛其二毛，則當服從之也。又二十一年《傳》曰：「巫尪何爲？天欲殺之，則如勿生。」言天欲殺之，則當勿生之也。昭十三年《傳》曰：「二三子若能死亡，則如違之以待所濟。若求安定，則如與之以濟所欲。」言若能死亡，則當違之。若求安定，則當與之也。二十一年《傳》曰：「君若愛司馬，則如亡。」言君若愛司馬而不欲亡之，則當自亡也。定五年《傳》曰：「不能如辭。」言既不能，則當辭也。八年《傳》曰：「然則如叛之。」言既不畏晉，則當叛之也。杜解「君若愛司馬，則如亡」云：「言若愛司馬，則當亡走失國。」解「不能如辭」云：「言自知不能，當辭勿行。」是杜訓「如」爲「當」，非訓爲「不如」也。且成二年《傳》曰：「若知不能，則如無出。今既遇矣，不如戰也。」上言「如」下言「不如」，則「如」非「不如」明矣。又《大戴記·保傅篇》曰：「不習爲吏，如視己事。」《墨子·貴義篇》曰：「今天下莫爲義，則子如勸我者也，何故止我？」「如」字亦與「當」同義。

如，猶「將」也。宣十二年《左傳》曰：「有喜而憂，如有憂而喜乎？」言憂喜各因其事，若有喜而憂，則亦將有憂而喜乎？《漢書·翟義傳》：「義部掾夏恢等，收縛宛令劉立，傳送鄧獄。恢白義，可因隨後行縣送鄧。義曰：『欲令都尉自送，則如勿收邪？』」言汝欲令都尉自送，則將勿收邪。師古注以「如」爲「不如」，誤。與《左傳正義》同。又《孟子·公孫丑篇》：「寡人如就見者也。」「如」字亦與「將」同義。

如，猶「與」也，及也。《書·堯典》曰：「脩五禮，五玉，三帛，二牲，今本改「牲」爲「生」，非。辯見《經義述聞》。一死贄，如五器。」如者，及也。五器，蓋即五等諸侯朝聘之禮器。自五玉以下，皆蒙上「脩」字言之。言五玉、三帛、二牲、一死之贄，及所用之五器，皆因五禮而竝脩之也。舊説「如五器」皆誤，辯見《經義述聞》。《儀禮·鄉飲酒禮》「公如大夫入」，謂公與大夫入也。鄭讀「如」爲「若」。「若」亦「與」也。説見「若」字下。賈疏謂「大夫之於公，更無異禮」，失之。辯見《經義述聞》。《論語·先進篇》曰：「方六七十，如五六十。」又曰：「宗廟之事，如會同。」「如」字竝與「與」同義。《史記·虞卿傳》：「趙王問樓緩曰：『予秦地如毋予，孰吉？』」今本「如」上有「何」字，乃後人所加。辯見《讀書雜志》。言予秦地與不予，二者孰吉也。《新序·善謀篇》「如」作「與」，是其證。「如」、「與」聲相近，故「如」訓爲「與」，「與」亦訓爲「如」，互見「與」字下。

如，猶「於」也。《莊子·德充符篇》：「申徒嘉謂子産曰：『先生之門，固有執政焉如此哉！』」言先生之門，固無執政於此也。《吕氏春秋·愛士篇》曰：「人之困窮，甚如饑寒。」言甚於饑寒也。《史記·汲黯傳》曰：「丞相宏燕見，上或時不冠。至如黯見，上不冠不見也。」言至於黯見，則上必冠也。

如，猶「乎」也。《禮記·祭義》「善如爾之問也」，《吕氏春秋·孝行篇》作「善乎而問之」。是「善如」即「善乎」也。《莊子·齊物論篇》曰：「不亦善乎而問之也。」

若

《考工記·梓人》注曰："若，如也。"常語。

若，猶"奈"也。凡經言"若何"、"若之何"者，皆是。

若，詞也。《易·豐》六二："有孚發若。"《節》六三："不節若，則嗟若。"王注竝曰："若，辭也。"《書·洪範》曰："曰肅，時雨若。曰乂，時暘若。曰晢，時燠若。曰謀，時寒若。曰聖，時風若。"《禮記·禮器》曰："有所竭情盡慎，致其敬而誠若，有美而文而誠若。"

若，猶"然"也。《易·乾》九三曰："夕惕若厲。"《離》六五曰："出涕沱若，戚嗟若。"《巽》九二曰："用史巫紛若。"《詩·氓》曰："其葉沃若。"《皇皇者華》曰："六轡沃若。"竝與"然"同義。又《詩·猗嗟》曰："抑若揚兮。"正義曰："抑然而美者，其額上揚廣兮。"文十四年《公羊傳》曰："力沛若有餘。"義亦同也。

家大人曰：猶若，猶然也。《禮記·禮運》曰："其燔黍捭豚，汙尊而抔飲，蕢桴而土鼓，猶若可以致其敬於鬼神。"言物雖質略，猶然可以致敬也。正義曰："若，如也。言猶如此，亦可以致其恭敬於鬼神。"失之。《管子·輕重甲篇》曰："君雖彊本趣耕發草立幣而無止，民猶若不足也。"《墨子·尚賢篇》曰："未知所以行之之術，則事猶若未成。"《荀子·不苟篇》曰："雖作於心，見於色，出於言，民猶若未從也。」楊倞注：「若，如也。」亦失之。《呂氏春秋・誣徒篇》曰：「爲之而樂矣，奚待賢者？雖不肖者猶若勸之。」《蕩兵篇》曰：「中主猶若不能有其民，而況於暴君乎？」竝與「猶然」同義。

《史記・禮書》正義曰：「若，如此也。」《書・大誥》曰：「爾知寧王若勤哉？」言如此勤也。《孟子・梁惠王篇》曰：「以若所爲，求若所欲。」言如此所爲，如此所欲也。《荀子・禮論篇》曰：「故人苟生之爲見，若者必死。苟利之爲見，若者必害。」言如此者必死，如此者必害也。

若，猶「此」也。莊四年《公羊傳》曰：「有明天子，則襄公得爲若行乎？」謂此行也。僖二十六年《傳》曰：「曷爲以外内同若辭？」謂此辭也。定四年《傳》曰：「君如有憂中國之心，則若時可矣。」謂此時也。《論語・公冶長篇》曰：「君子哉若人。」謂此人也。《管子・八觀篇》曰：「不通於若計者，不可使用國。」《晏子・諫篇》曰：「雖有至聖大賢，豈能勝若讒哉。」《墨子・節葬篇》曰：「法若言，行若道。」《呂氏春秋・振亂篇》曰：「爲天下之長患，致黔首之大害者，若說爲深。」《齊策》曰：「聞若言，莫不揮泣奮臂而欲戰。」「若」字竝與「此」同義。

連言之則曰「若此」，或曰「此若」。定四年《公羊傳》「則若時可矣」，《穀梁傳》作「則若此時可矣」。《禮記·曾子問篇》，孔子説宗子去在他國，庶子無爵而居者代祭之禮云：「子游之徒，有庶子祭者，以此若義也。」鄭讀「以此」爲一句，「若義也」爲一句，注曰：「若，順也。」家大人曰：「以此若義也」五字當作一句讀。以，用也。「此若」二字連讀，「若」亦「此」也。言子游之徒有庶子祭者，用此義也。說詳《經義述聞》。《荀子·儒效篇》曰：「行一不義，殺一無罪，而得天下，不爲也。此若義信乎人矣。」今本「若」訛作「君」。楊注曰：「以君義通於四海。」非也。《新序·雜事篇》作「若義信乎人矣」。「若」亦「此」也。《管子·山國軌篇》曰：「此若言何謂也？」《地數篇》曰：「此若言可得聞乎？」《輕重丁篇》曰：「此若言曷謂也？」《墨子·尚賢篇》曰：「此若言之謂也。」《節葬篇》曰：「以此若三聖王者觀之。」又曰：「以此若三國者觀之。」《史記·蘇秦傳》曰：「王何不使辯士以此若言説秦？」今本「若」譌作「苦」。《燕策》作「若此言」。皆竝用「此若」二字。

若，猶「及」也，「至」也。《書·召誥》曰：「越五日甲寅，位成，若翼日乙卯。」言及翼日乙卯也。《吳語》：「越大夫種曰：『王若今起師以會。』」言及今起師以會戰也。故成二年《左傳》「病未及死」，《晉語》作「病未若死」。

若，猶「及」也，「與」也。《書·召誥》曰：「旅王若公。」《周官·罪隸》曰：「凡封國若家。」《儀禮·燕禮》曰：「冪用綌若錫。」《禮記·内則》曰：「父母有婢子若庶子庶孫。」襄十三年《左傳》曰：「請爲靈若厲。」

若，猶「或」也。《管子·白心篇》曰：「夫或者何？若然者也。」《儀禮·士昏禮記》曰：「若衣若笄。」襄十一年《左傳》曰：「若子若弟。」又曰：「君若能以玉帛綏晉。」昭十三年《傳》曰：「若入於大都而乞師於諸侯。」定四年《傳》曰：「若聞蔡將先衛，信乎？」隱四年《公羊傳》曰：「公子翬恐若其言聞乎桓。」

若夫，轉語詞也。《易·繫辭傳》曰：「若夫雜物撰德，辨是與非，則非其中爻不備。」是也。

若夫，發語詞也。《大戴記·衛將軍文子篇》：「文子曰：『若夫知賢人莫不難。』」《孝經》：「曾子曰：『若夫慈愛恭敬，安親揚名，則聞命矣。』」是也。

若乃，亦轉語詞也。《齊策》曰：「若乃得去不肖者而爲賢者狗，豈特攫其腓而噬之耳哉？」是也。

「若而」者，不定之詞也。襄十二年《左傳》曰：「天子求后於諸侯，諸侯對曰：『夫婦所生若而人，妾婦之子若而人。』無女而有姊妹及姑姊妹，則曰：『先守某公之遺女若而人。』」昭三年《傳》曰：「則猶有先君之適，及遺姑姊妹若而人。」

「若干」者，亦不定之詞也。《禮記·曲禮》曰：「始服衣若干尺矣。」《投壺》曰：「某賢於某若干純。」

家大人曰：若，猶「其」也。《書・召誥》曰：「我亦惟兹二國命，嗣若功。」若，其也。「嗣其功」者，嗣二國之功也。某氏傳曰：「繼順其功德者而法則之。」訓「若」爲「順」，非是。昭元年《左傳》趙文子請叔孫於楚曰：「子若免之，以勸左右，可也。」言子其免之以勸左右也。二十六年《傳》：「子猶言於齊侯曰：『君若待於曲棘，使群臣從魯君以卜焉。』」言君其待於曲棘也。

顧懽注《老子》曰：「若，而也。」家大人曰：《書・金縢篇》「予仁若考」，《史記・魯世家》作「旦巧」。「巧」、「考」古字通，「若」、「而」語之轉。「予仁若考」者，予仁而巧也。唯巧，故能多材多藝，能事鬼神也。某氏傳訓「若」爲「順」，「考」爲「父」，皆失之。詳見《經義述聞》。《易・夬》九三曰：「君子夬夬獨行，句遇雨若濡。」言遇雨而濡也。莊二十二年《左傳》曰：「幸若獲宥，及於寬政。」言幸而獲宥也。《吴語》：「越王命徇於軍曰：『有眩瞀之疾者以告。』王親命之曰：『我有大事，子有眩瞀之疾，其歸若已。』」言子其歸而止息也。

《小爾雅》曰：「若，乃也。」《書・秦誓》曰：「日月逾邁，若弗員來。」言乃弗云來也。某氏傳訓「若」爲「如」，失之。《周語》引《書》曰：「必有忍也，若能有濟也。」韋注曰：「若，猶乃也。」《管子・海王篇》曰：「一女必有一鍼一刀，若其事立。耕者必有一耒一耜一銚，若其事立。行服連軺輦者，必有一斤一鋸一椎一鑿，若其事立。」《孟子・公孫丑篇》曰：「今言王若易然，則文王不足法與?」「若」字竝與「乃」同義。又《書》稱「王若曰」、「微子若曰」、「父師若曰」、「周公若曰」者,竝與「乃曰」同義。

若,猶「則」也。《老子》曰:「故貴以身爲天下,若可寄天下。愛以身爲天下,若可託天下。」《莊子·在宥篇》「若」竝作「則」。

家大人曰:若,詞之「惟」也。《般庚》曰:「予若籲懷兹新邑。」《大誥》曰:「若昔朕其逝。」《君奭》曰:「若天棐忱。」《大誥》曰:「越天棐忱。」「越」字亦語助。《吕刑》曰:「若古有訓。」「若」字皆是語詞之「惟」。又《文侯之命》曰:「女多脩扞我于艱,若女予嘉。」《吴語》曰:「伯父令女來,明紹享余一人,若余嘉之。」《禮記·祭統》曰:「叔舅,予女銘,若纂乃考服。」「若」字亦是語詞之「惟」。《金縢》曰:「惟爾元孫某,遘厲虐疾,若爾三王。」「若」亦「惟」也,互文耳。說者或訓爲「順」,某氏《尚書傳》或訓爲「汝」,鄭氏《祭統》注或訓爲「如」,王肅《文侯之命》注皆於文義未協。

然

范望注《太玄·務·測》曰:「然,猶是也。」常語也。

《廣雅》曰:「然,譍也。」「譍」,通作「應」。《禮記·檀弓》曰:「有子曰:『然,然則夫子有爲言之也。』」《論語・陽貨篇》曰：「然，有是言也。」《孟子・公孫丑篇》曰：「然，夫時子惡知其不可也？」此三「然」字，但爲應詞而不訓爲「是」。

家大人曰：然故，是故也。《禮記・少儀》曰：「事君者，量而后入，不入而后量。凡乞假於人，爲人從事者亦然。然故上無怨而下遠罪也。」「然故」，是故也。正義以「然」字絶句讀，失之。義見下。《管子・任法篇》曰：「聖君置儀設法而固守之，然故諶杵習士聞識博學之人，不可亂也。衆彊富貴私勇者，不能侵也。信近親愛者，不能離也。珍怪奇物，不能惑也。萬物百事非在法之中者，不能動也。今天下則不然，皆有善法而不能守也。然故諶杵習士聞識博學之士，能以其智亂法惑上。衆彊富貴私勇者，能以其威犯法侵陵。鄰國諸侯，能以其權置子立相。大臣能以其私附百姓，翦公財以禄私士。」又曰：「聖君設度量，置儀法。如天地之堅，如列星之固，如日月之明，如四時之信。然故令往而民從之。」又曰：「遵主令而行之，雖有傷敗，無罰。非主令而行之，雖有功利，罪死。然故下之事上也，如嚮之應聲也。臣之事主也，如景之從形也。」《荀子・大略篇》曰：「從士以上，皆羞利而不與民争業，樂分施而恥積藏，然故民不困財，貧窶者有所竄其手。」《韓子・難三》曰：「力盡於事，歸利於上者必聞，聞者必賞。污穢爲私者必知，知者必誅。然故忠臣盡忠於公，民士竭力於家，百官精尅於上。」以上諸書，皆以「然故」二字連讀。

《禮記・大傳》注曰：「然，如是也。」凡經稱「然則」、「雖然」、「不然」、「無然」、「胡然」、「夫然」者，皆是也。常語也。

然，詞之轉也。亦常語也。

然而者，亦詞之轉也。《孟子・公孫丑篇》曰：「夫二子之勇，未知其孰賢，然而孟施舍守約也。」今人用「然而」二字，皆與此同義。

然而者，詞之承上而轉者也，猶言「如是而」也。《考工記》曰：「材美工巧，然而不良，則不時，不得地氣也。」《儀禮・喪服傳》曰：「故昆弟之義無分，然而有分者，則辟子之私也。」《禮記・文王世子》曰：「有父在則禮然，然而衆知父子之道矣。」《三年問》曰：「將由夫患邪淫之人與？則彼朝死而夕忘之。然而從之，則是曾鳥獸之不若也。」僖三十三年《公羊傳》曰：「或曰往矣，或曰反矣，然而晉人與姜戎要之殽而擊之。」何注：「然，然上議。猶豫留住之頃也。」宣六年《傳》曰：「然而宮中甲，鼓而起。」定八年《傳》曰：「然而甲起於琴如。」《孟子・梁惠王篇》曰：「七十者衣帛食肉，黎民不飢不寒，然而不王者，未之有也。」以上言「然而」者，皆謂「如是而」也。今人用「然而」二字，則與此異義矣。

然，狀事之詞也。若《論語》「斐然」、「喟然」、「儼然」之屬是也。常語也。

然，比事之詞也。若《大學》「如見其肺肝然」是也。亦常語。

然，猶「焉」也。《禮記・檀弓》曰：「穆公召縣子而問然。」鄭注：「然之言焉也。」《祭義》曰：「國人稱願然。句曰：『幸哉，有子如此！』」然，猶「焉」也，上屬爲句。鄭注：「然，猶而也。」則下屬爲句，失之。《哀公問》曰：「君子以此之爲尊敬然。」又曰：「寡人願有言然。」《論語・泰伯篇》曰：「禹，吾無閒然矣。」《先進篇》曰：「若由也，不得其死然。」《孟子・公孫丑篇》曰：「今時則易然也。」「然」字竝與「焉」同義。又《楚辭・九章》曰：「然容與而狐疑。」《九辯》曰：「然欲傺而沈藏。」「然」字亦與「焉」同義。然、焉，皆「乃」也。說見「焉」字下。「焉」、「然」，古同聲。故《祭義》「國人稱願然」，《大戴記・曾子大孝篇》「然」作「焉」。

然，猶「而」也。《詩・終風》曰：「惠然肯來。」言惠而肯來也。《北風》曰：「惠而好我。」《定之方中》曰：「卜云其吉，終然允臧。」言既而允臧也。終，猶「既」也。說見「終」字下。定八年《公羊傳》曰：「卻反，舍于郊，皆說然息。」言脫而息也。何注：「然，猶如。」「如」亦「而」也。《管子・版法解篇》曰：「然則君子之爲身，無好無惡然已乎？」「然已」，而已也。

然後，而後也，乃也。常語也。

然且，而且也。昭十三年《穀梁傳》曰：「失德不葬，弑君不葬，滅國不葬，然且葬之。」《孟子・公孫丑篇》曰：「識其不可，然且至。」

《莊子・秋水篇》曰：「其不可行明矣，然且語而不舍。」《韓子・難言篇》曰：「夫至智說至聖，然且七十説而不受。」

然，猶「乃」也。《晉語》：「文公謂寺人勃鞮曰：『豈不如女言，然是吾惡心也。言乃是吾惡心也。吾請去之。』」《莊子・天地篇》曰：「始也，我以女爲聖人邪，今然君子也。」《荀子・脩身篇》曰：「行而供冀，非漬淖也。行而俯項，非擊戾也。偶視而先俯，非恐懼也。然夫士欲獨脩其身，不以得罪於比俗之人也。」言士之恭敬如此，乃欲自脩其身，非恐得罪於流俗也。《賈子・脩政語篇》曰：「譬其若去日之明於庭，而就火之光於室也。然可以小見而不可以大知。」司馬相如《封禪文》曰：「若然辭之，是泰山靡記，而梁甫罔幾也。」《史記・傅靳鄘成傳贊》曰：「鄘成侯周緤，操心堅正，身不見疑。上欲有所之，未嘗不垂涕。此有傷心者，然可謂篤厚君子矣。」「然」字竝與「乃」同義。

然，猶「則」也。《墨子・尚同篇》曰：「何以知尚同一義之可而爲政於天下也？然胡不審稽古之治，爲政之説乎？」《非命篇》曰：「有聞之，有見之，謂之有。莫之聞，莫之見，謂之亡。然胡不嘗考之百姓之情，自古以及今生民以來者，亦嘗見命之物，聞命之聲者乎？」「然胡不」，則胡不也。《莊子・外物篇》曰：「鮒魚曰：『吾得斗升之水然活耳。』」「然活」，則活也。

尔　爾

《説文》："「尔，詞之必然也。」字通作「爾」。鄭注《檀弓》曰："「爾，語助也。」《文選·古詩》注引字書曰："「爾，詞之終也。」常語也。

爾，猶「然」也。若《論語》「卓爾」、「率爾」、「鏗爾」、「莞爾」之屬是也。亦常語。

爾，猶「如此」也。《雜記》曰："「宦於大夫者之爲之服也，自管仲始也，有君命焉爾也。」焉，猶「乃」也。見「焉」字下。爾，如此也。言有君命乃如此也。《孟子·告子篇》曰："「富歲子弟多賴，凶歲子弟多暴，非天之降才爾殊也。」言非天之降才如此其異也。凡後人言「不爾」、「乃爾」、「果爾」、「聊復爾耳」者，竝與此同義。

爾，猶「此」也。隱二年《公羊傳》曰："「前此，則曷爲始乎此？託始焉爾。」何注："「焉爾，猶於是也。」「是」亦「此」也。僖二十一年「公會諸侯盟于薄，釋宋公」，《傳》曰："「執，未有言釋之者，此其言釋之何？公與爲爾也。公與爲爾奈何？公與議爾也。」言公與爲此，公與議此也。

爾，猶「而已」也。《禮記·檀弓》曰："「不以食道，用美焉爾。」言用美焉而已也。又曰："「唯祭祀之禮，主人自盡焉爾，豈知神之所饗？」亦謂主人自盡焉而已也。《郊特牲》曰

「豈知神之所饗也？主人自盡其敬而已矣」，是其證也。莊四年《公羊傳》曰：「其國亡矣，徒葬於齊爾。」僖三十一年《傳》曰：「不崇朝而徧雨乎天下者，唯大山爾。」《論語・鄉黨篇》曰：「便便言，唯謹爾。」竝與「而已」同義。

爾，猶「矣」也。《詩・噫嘻》曰：「噫嘻成王，既昭假爾。」箋曰：「噫嘻乎能成周王之功，其德已著至矣。」是「爾」與「矣」同義。又僖二年《公羊傳》曰：「君若用臣之謀，則今日取郭而明日取虞爾。」宣十五年《傳》曰：「莊王圍宋，軍有七日之糧爾。盡此不勝，將去而歸爾。」數「爾」字亦與「矣」同義。

爾，猶「焉」也。隱元年《公羊傳》曰：「然則何言爾？」二年《傳》曰：「何譏爾？」三年《傳》曰：「何危爾？」僖五年《穀梁傳》曰：「何尊焉？」又曰：「何重焉？」僖二年《傳》曰：「則中國曷爲獨言齊、宋至爾？」「爾」字竝與「焉」同義。又《禮記・檀弓》曰：「夫子何善爾也？」《孟子・滕文公篇》曰：「彼有取爾也。」《離婁篇》曰：「所惡勿施爾也。」「爾」字亦與「焉」同義。

耳

耳，猶「而已」也。《論語・陽貨篇》「前言戲之耳」是也。《管子・臣乘馬篇》曰：「故春事二十五日之内耳也。」「耳也」者，「而已也」也。《晏子・雜篇》曰：「晏子食脱粟之食，炙三弋、五卯、苔菜耳矣。」《孟子·離婁篇》曰：「人之易其言也，無責耳矣。」《吕氏春秋·壹行篇》曰：「與麋鹿虎狼無以異，多勇者則爲制耳矣。」「耳矣」者，「而已矣」也。此與後「耳矣」異義。《齊策》曰：「若乃得去不肖者而爲賢者狗，豈特攫其腓而噬之耳哉？」「耳哉」者，「而已哉」也。

家大人曰：耳，猶「矣」也。《大戴記·曾子立事篇》曰：「嗜酤酒，好謳歌，巷游而鄉居者乎？吾無望焉耳。」言吾無望焉矣也。《禮記·樂記》曰：「則樂之道歸焉耳。」歸，終也。見《吕氏春秋·報更》《求人》二篇注。言萬物各得其所，則樂之道終焉矣。《正義》謂歸功於樂，失之。《論語·雍也篇》曰：「女得人焉耳乎？」言汝得人焉矣乎。

耳矣，猶「已矣」也。「已」與「矣」皆詞之終，而連言之則曰「已矣」。《論語》「始可與言《詩》已矣」是也。「耳」與「矣」亦皆詞之終，而連言之則曰「耳矣」。《禮記·檀弓》曰：「勿之有悔焉耳矣。」《祭統》曰：「夫銘者壹稱，而上下皆得焉耳矣。」是也。「耳」與「已」聲相近，或言「已矣」或言「耳矣」，其義一也。

仍

《爾雅》曰：「仍，乃也。」《史記·淮南衡山傳贊》曰：「淮南、衡山專挾邪僻之計，謀爲畔逆，仍父子再亡國，各不終其身。」仍者，乃也。言淮南、衡山謀爲畔逆，乃至父子再亡其國，各不終其身也。《漢書贊》與《史記》同。師古曰：「仍，頻也。」「頻父子再亡國」，斯爲不詞矣。又《匈奴傳》：「漢復遣大將軍衛青將六將軍十餘萬騎，仍再出定襄數百里擊匈奴。」「仍」亦「乃」也，故《史記》作「乃再出定襄」。師古曰：「仍，頻也。」「頻再出定襄」，愈爲不詞矣。《説文》仍從乃聲，故「乃」字或通作「仍」。説見《經義述聞・爾雅》。

聊　憀

《詩・泉水》曰：「聊與之謀。」毛傳：「聊，願也。」箋曰：「聊，且略之辭。」《聲類》作「憀」，義與箋同。見《文選・笙賦》注。

來

來，詞之「是」也。《詩・谷風》曰：「不念昔者，伊予來塈。」伊，惟也。來，猶「是」也。塈，讀爲「愾」。愾，怒也。此承上「有洸有潰」言之。毛傳：「洸洸，武也。潰潰，怒也。」言君子不念昔日之情，而惟我是怒也。毛傳：「塈，息也。」箋曰：「君子忘舊，不念往昔年稚我始來之時安息我。」皆失之。辯見《經義述聞》。《桑柔》曰：「既之陰女，反予來赫。」言我以善言蔭覆汝，而汝反於我是赫怒也。「伊予來塈」、「反予來赫」句法正相近矣。又《四牡》曰：「將母來諗。」言我惟養母是念也。《采芑》曰：「荆蠻來威。」今本「荆蠻」譌作「蠻荆」。段氏若膺《詩經小學》已正之。《江漢》曰：「淮夷來求。」「淮夷來鋪。」皆謂荆蠻是威，淮夷是求，淮夷是病也。《江漢》又曰：「王國來極。」亦謂王國是正也。《漢書・兒寛傳》：「天子建中和之極。」師古曰「極，正也」，引《周禮》「以爲民極」。《逸周書・武順篇》曰：「正及神人曰極。」《六月》曰「王于出征，以匡王國」是也。解者皆以「來」爲「往來」之「來」，遂詰𥷚爲病矣。

來，句中語助也。《莊子・大宗師篇》：「子桑户死，孟子反、子琴張相和而歌曰：『嗟來桑户乎，嗟來桑户乎！』」嗟來，猶「嗟乎」也。

來，句末語助也。《孟子・離婁篇》曰：「盍歸乎來？」《莊子・人間世篇》曰：「嘗以語我來。」又曰：「子其有以語我來。」「來」字皆語助。

經傳釋詞弟八

雖　唯　惟

《玉篇》曰："雖，詞兩設也。"常語也。字或作"唯"。《春秋·桓十四年》："秋八月，壬申，御廩災。乙亥，嘗。"《穀梁傳》曰："御廩之災不志，此其志，何也？以爲唯未易災之餘而嘗可也，志不敬也。何用見其未易災之餘而嘗也？曰：甸粟而内之三宫，三宫米而藏之御廩。夫嘗，必有兼甸之事焉。今本"甸"譌作"旬"。辯見《經義述聞》。壬申，御廩災。乙亥，嘗。以爲未易災之餘而嘗也。"家大人曰：《傳》言"以爲未易災之餘而嘗"者，火焚之餘米，不可以奉宗廟，必易之而後可。易之，則甸粟而納之三宫，三宫米而藏之御廩，其事非兼甸不能具。今壬申災而乙亥嘗，相距不過三日，則是未易災之餘而嘗也。故上文曰："以爲唯未易災之餘而嘗可也，志不敬也。""唯"即"雖"字也。言魯人不易其災之餘而嘗者，其意若曰雖未易災之餘而嘗可也，則不敬莫大乎是。故書之曰：壬申御廩災，乙亥嘗。所以志不敬也。徐邈讀"可也"絶句，"志不敬也"自爲句，正與《傳》意相合。范注乃用鄭嗣之説，讀「可也志」爲句，而釋之曰：「唯以未易災之餘而嘗，然後可志也。」如其説，則上下文皆不可通。總由不知「唯」爲「雖」之借字，故字義失而句讀亦舛矣。《禮記・少儀》「雖有君賜」，《雜記》「雖三年之喪可也」，鄭注竝曰：「『雖』或爲『唯』。」《表記》：「唯天子受命於天。」注曰：「『唯』當爲『雖』。」《荀子・性惡篇》曰：「今以仁義法正爲固無可知可能之理邪，然則唯禹不知仁義法正，不能仁義法正也。」楊倞注：「『唯』讀爲『雖』。」《秦策》曰：「弊邑之王所甚説者，無大大王。唯儀之所甚願爲臣者，亦無大大王。弊邑之王所甚憎者，無先齊王。唯儀之所甚憎者，亦無先齊王。」《史記・張儀傳》「唯」皆作「雖」。《史記・汲黯傳》「宏、湯深心疾黯，唯天子亦不説也」，《漢書》「唯」作「雖」。《漢書・楊雄傳〈解嘲〉》「唯其人之贍知哉，亦會其時之可爲也」，《文選》「唯」作「雖」。又《大戴禮・虞戴德篇》曰：「君以聞之，「以」與「已」同。唯某無以更也。」《墨子・尚同篇》曰：「唯欲毋與我同，將不可得也。」《荀子・大略篇》曰：「天下之人唯各持意哉，然而有所共予也。」《趙策》曰：「君唯釋虚僞疾，文信猶且知之也。」《史記・范睢傳》曰：「須賈問曰：『孺子豈有客習於相君者哉？』范睢曰：『主人翁習知之。唯睢亦得謁。』」《司馬相如傳》曰：「相如使時，蜀長老多言通西南夷不爲用，唯大臣亦以爲然。」此皆古書借「唯」爲「雖」之證也。字又作「惟」。《史記・淮陰侯傳》曰：「信問王曰：『大王自料，勇悍仁彊，孰與項王？』」漢王默然良久，曰：『不如也。』信再拜賀曰：『惟信亦爲大王不如也。』」《漢書》「惟」作「唯」字，竝與「雖」同。顔師古斷「唯」字爲句，而以爲應辭，非是。辯見《讀書雜志》。《淮南・精神篇》曰：「不識天下之以我備其物與？且惟無我而物無不備者乎？」「惟」亦與「雖」同。《說文》「雖」字以「唯」爲聲，故「雖」可通作「唯」，「唯」亦可通作「雖」。互見「惟」字下。

肆

肆，遂也。《書・堯典》曰：「肆類于上帝。」又曰：「肆覲東后。」《史記・五帝紀》「肆」竝作「遂」。「遂」、「肆」聲相近，方俗語有侈弇耳。

《爾雅》曰：「肆，故也。」《書・大誥》曰「肆朕誕以爾東征」，《漢書・翟義傳》王莽倣《大誥》作「故予大以爾東征」。《無逸》曰「肆中宗之享國，七十有五年」，《史記・魯世家》「肆」作「故」。《詩・緜》曰：「肆不殄厥慍。」《思齊》曰：「肆戎疾不殄。」「肆成人有德。」《抑》曰：「肆皇天弗尚。」「肆」字皆當訓爲「故」。傳、箋竝云：「肆，故今也。」失之。說見《經義述聞・爾雅》。

自

自，詞之「用」也。《書・康誥》曰：「凡民自得罪。」某氏傳訓「自」爲「用」。《召誥》曰：

「自服于土中。」鄭注亦曰：「自，用也。」

自，猶「苟」也。成十六年《左傳》曰：「自非聖人，外寧必有内憂。」言苟非聖人也。

兹　滋

《爾雅》曰：「兹，此也。」常語。

兹，猶「斯」也。《書·酒誥》曰：「朝夕曰：祀兹酒。」言朝夕戒之曰，惟祭祀斯用酒也。故下文曰：「飲惟祀。」昭七年《左傳》曰：「三命兹益共。」二十六年《傳》曰：「若可，師有濟也。君而繼之，兹無敵矣。」「兹」字亦與「斯」同義。

兹者，承上起下之詞。昭元年《左傳》曰：「勿使有所壅閉湫底以露其體，兹心不爽而昏亂百度。」二十六年《傳》曰：「單旗、劉狄帥群不弔之人，以行亂于王室。晉爲不道，是攝是贊，思肆其罔極。兹不穀震盪播越，竄在荆蠻。」此兩「兹」字，皆承上起下之詞，猶今人言致令如此也。杜注訓「兹」爲「此」，皆失之。「兹」字或作「滋」。昭五年《傳》曰：「君若驩焉好逆使臣，滋敝邑休怠而忘其死，亡無日矣。」「滋」亦承上起下之詞。

斯

《爾雅》曰：「斯，此也。」常語。

斯，猶「則」也。亦常語。

斯，猶「乃」也。《書·洪範》曰：「女則錫之福。時人斯其惟皇之極。」《金縢》曰：「周公居東二年，則罪人斯得。」《詩·小旻》曰：「謀猶回遹，何日斯沮。」《賓之初筵》曰：「大侯既抗，弓矢斯張。」《角弓》曰：「受爵不讓，至于己斯亡。」《禮記·檀弓》曰：「人喜則斯陶，陶斯咏，咏斯猶，猶斯舞。」「斯」字竝與「乃」同義。《詩·斯干》曰：「乃安斯寢，乃寢乃興。」「斯」亦「乃」也，互文耳。

斯，猶「其」也。《詩·采芑》曰：「朱芾斯皇。」《斯干》曰：「如跂斯翼，如矢斯棘，如鳥斯革，如翬斯飛。」《甫田》曰：「乃求千斯倉，乃求萬斯箱。」《白華》曰：「有扁斯石。」《思齊》曰：「則百斯男。」《皇矣》曰：「王赫斯怒。」《烈祖》曰：「有秩斯祜。」「斯」字竝與「其」同義。

斯，猶「維」也。《采薇》曰：「彼爾維何？維常之華。彼路斯何？君子之車。」「斯」亦「維」也。猶《韓奕》曰「其殽維何？炰鼈鮮魚。其蔌維何？維筍及蒲」也。

斯，猶「是」也。《詩·七月》曰：「朋酒斯饗。」《公劉》曰：「于京斯依。」又曰：「于豳斯館。」

斯，猶「然」也。《禮記・玉藻》曰：「二爵而言言斯。」言言然也。上言「洒如」，此言「言言斯」，「斯」與「如」皆形容之詞。鄭注：「斯，猶耳也。」「耳」疑當作「爾」。言言爾，猶云「縱縱爾」、「折折爾」也。《論語・鄉黨篇》曰：「色斯舉矣，翔而後集。」何注引馬融曰：「見顏色不善，則去之。」皇侃疏以爲「孔子在處，觀人顏色而舉動也」。《憲問篇》：「其次辟色。」何引孔傳曰「色斯舉也」，正與此注相應。然下句「翔而後集」自指鳥言之。若謂孔子辟色，則與下句意不相屬矣。若謂鳥見人之顏色不善而飛去，則人之顏色不善，又豈鳥所能喻乎？今案：「色斯」者，狀鳥舉之疾也，與「翔而後集」意正相反。色斯，猶色然，驚飛貌也。《呂氏春秋・審應篇》曰：「蓋聞君子猶鳥也，駭則舉。」哀六年《公羊傳》曰：「諸大夫見之，皆色然而駭。」何注曰：「色然，驚駭貌。」義與此相近也。漢人多以「色斯」二字連讀。《論衡・定賢篇》曰：「大賢之涉世也，翔而有集，色斯而舉。」《議郎元賓碑》曰：「翻翥色斯。」《竹邑侯相張壽碑》曰：「君常懷色斯，遂用高逝。」《堂邑令費鳳碑》曰：「色斯輕翔，翻然高絜。」《費鳳別碑》曰：「功成事就，色斯高舉。」

斯，語已詞也。若「恩斯勤斯，鬻子之閔斯」是也。常語也。

斯，語助也。《詩・螽斯》曰：「螽斯羽。」毛傳以「螽斯」爲「斯螽」，非。辯見《廣雅疏證》。《小弁》曰：「鹿斯之奔。」《瓠葉》曰：「有兔斯首。」鄭箋以「斯首」爲「白首」，非。「斯」字皆語助。

些

《廣雅》曰：「些，詞也。」曹憲音先計反。《楚辭・招魂》用此字。《爾雅釋文》曰：「些，息計反，又息賀反，語餘聲也。」《説文》新附字曰：「些，語詞也，見《楚辭》。从此从二，其義未詳。」家大人曰：「些」即「呰」字之譌也。草書「呰」字作「[illegible]」，隸書因變而爲「些」矣。《説文》：「呰，苛也。」從口此聲。《爾雅》：「呰，此也。」釋文曰：「呰，子爾反，或子移反，郭音些。」《玉篇》：「些，息計切，此也，辭也。」又息箇切。《廣韻・去聲十二霽》：「些，蘇計切，此也，辭也，何也。楚音楚箇切。」《集韻・十二霽》：「些，思計切，語辭，或作呰。」《三十八箇》：「些，四箇切，語辭也，見《楚辭》。或作呰。」據《爾雅釋文》云：「呰，郭音些。」是「呰」字兼有「些」音也。《玉篇》《廣韻》竝云：「些，此也。」即《爾雅》「呰」字之訓。《廣韻》：「些，何也。」即《説文》「呰」字之訓。《説文》：「呰，苛也。」「苛」、「何」皆古「呵」字，見《周官》《漢書》。而《集韻》又云：「些，或作呰。」故知「些」即「呰」之譌也。「呰」字以「此」爲聲，則當以「息計」爲正音，「息箇」爲變音矣。凡平聲之支、歌，上聲之紙、哿，去聲之寘、箇多有一字而兩韻兼收者。《楚辭》之「呰」與《詩》之「斯」字同義。《爾雅》「斯」、「呰」皆訓爲「此」而聲又相近，故二者又皆爲語詞。

思

思，語已詞也。《詩·漢廣》曰："南有喬木，不可休思。"毛傳曰："思，辭也。"他皆放此。案：宣十二年《左傳》引《詩》"鋪時繹思"，杜注："思，辭也。"是也。《詩箋》以"思"爲"思念"之"思"，云："陳繹而思行之。"則累於詞矣。

思，發語詞也。《車舝》曰："思孌季女逝兮。"思，詞也。"思孌季女"、"思齊大任"、"思媚周姜"句法相同。箋曰："思得孌然美好之少女。"失之。《文王》曰："思皇多士。"毛傳："思，辭也。"《思齊》曰："思齊大任。""思，詞也。箋曰："常思莊敬者，大任也。"失之。下"思媚"同。又曰："思媚周姜。"《公劉》曰："思輯用光。"傳曰："言民相與和睦以顯於時也。"則"思"爲語詞明矣。箋曰："思在和其民人。"失之。《孟子》趙注同。《思文》曰："思文后稷。"思，詞也。箋曰："思先祖有文德者。"失之。《周語》韋注同。《載見》曰："思皇多祜。"思，詞也。皇，美也，盛也。"思皇多士"、"思皇多祜"句法相同。箋曰："皇，君也。思使成王之多福。"失之。《良耜》曰："思媚其婦。""有嗿其饁"、"思媚其婦"、"有依其士"、"有略其耜"句首皆語詞。説見《經義述聞》。《泮水》曰："思樂泮水。"思，詞也。箋曰："言己樂僖公之脩泮宮之水。"失之。"思"字皆發語詞。

思，句中語助也。《關雎》曰："寤寐思服。"傳曰："服，思之也。"訓"服"爲"思之"，則"思服"之"思"當是語助。箋曰："服，事也。思己職事，當誰與共之乎？"王注曰："服膺思念之。"皆於義未安。《桑扈》曰："旨酒思柔。」《緇衣篇》同。柔，和也。「思柔」與「其觩」對文，是「思」爲語助也。箋曰：「其飲美酒，思得柔順中和，與共其樂。」《左傳》杜注同。《緇衣》箋曰：「柔，安也。飲美酒者，皆思自安。」竝失之。《文王有聲》曰：「自西自東，自南自北，無思不服。」「無思不服」，無不服也。思，語助耳。《閔予小子》曰：「於乎皇王，繼序思不忘。」「繼序思不忘」，繼序不忘也。《烈文》曰：「於乎前王不忘。」無「思」字，是「思」爲語助也。箋曰：「思其所行不忘。」失之。「思」皆句中語助。

將

《論衡・知實篇》曰：「將者，且也。」常語也。

將，猶「其」也。隱元年《左傳》曰：「國將若之何？」莊十四年《傳》曰：「國其若之何？」成二年《傳》曰：「國將若之何？」昭十二年《傳》曰：「國其若之何？」其義一也。「將」與「其」同義，故二字可以互用。成十四年《傳》曰：「是夫也，將不唯衛國之敗，其必始于未亡人。」昭八年《傳》曰：「其非唯我賀，將天下實賀。」《晉語》曰：「行之克也，將以害之。若其不克，其因以罪之。」皆是也。「將」與「其」同義，故又可以連用。隱三年《左傳》「其將何辭以對」是也。互見「其」字下。

將，猶「抑」也。《楚辭・卜居》曰：「吾寧悃悃款款朴以忠乎？將送往勞來斯無窮乎？」《楚策》曰：「先生老悖乎？將以爲楚國袄祥乎？」「將」字竝與「抑」同義。

將，猶「乃」也。宣六年《左傳》曰：「使疾其民以盈其貫，將可殪也。」《墨子・尚賢篇》曰：「譬若欲衆其國之善射御之士者，必將富之貴之敬之譽之，然后國之善射御之士，將可得而衆也。」此「將」字，猶「乃」也，與上「將」字異義。「將」字竝與「乃」同義。

且 徂

《吕氏春秋・音律篇》注曰：「且，將也。」《詩・雞鳴》曰「會且歸矣」是也。常語也。

且，猶「尚」也。《易・乾・文言》曰「天且不違」是也。亦常語。

且，猶「又」也。《春秋・文五年》：「王使榮叔歸含，且賵。」《穀梁傳》曰：「其曰且，志兼也。」亦常語。

且，猶「抑」也。《禮記・曾子問》曰：「葬引至於堩，日有食之，則有變乎？且不乎？」《齊策》曰：「王以天下爲尊秦乎？且尊齊乎？」《史記・魏世家》曰：「富貴者驕人乎？且貧賤者驕人乎？」「且」字竝與「抑」同義。

且，姑且也。《詩・山有樞》曰「且以喜樂，且以永日」是也。常語也。《禮記・檀弓》：「夫祖者，且也。且胡爲其不可以反宿也？」鄭注曰：「且，未定之辭。」

《廣雅》曰：「且，借也。」隱元年《公羊傳》曰：「且如桓立，則恐諸大夫之不能相幼君也。」何注曰：「且如，假設之辭。」《莊子・齊物論篇》曰：「今且有言於此。」

且，猶「若」也。隱三年《公羊傳》曰：「且使子而可逐，則先君其逐臣矣。」《呂氏春秋・知士篇》：「劑貌辨荅宣王曰：『王方爲太子之時，辨謂靜郭君曰：「太子不仁，不若革太子，更立衛姬嬰兒校師。」靜郭君曰：「不可，吾弗忍爲也。」且靜郭君聽辨而爲之也，必無今日之患也。』」《齊策》「且」作「若」。《去尤篇》曰：「邾之故法，爲甲裳以帛。公息忌謂邾君曰：『不若以組，凡甲之所以爲固者，以滿竅也。今竅滿矣，而任力者半耳。且組則不然，竅滿，則盡任力矣。』」《燕策》曰：「燕，南附楚則楚重，西附秦則秦重，中附韓、魏，則韓、魏重。且苟所附之國重，此必使王重矣。」「且」字竝與「若」同義。

且，猶「此」也，「今」也。《詩・載芟》曰：「匪且有且，匪今斯今，振古如兹。」毛傳曰：「且，此也。」正義曰：「今，謂今時，則且亦今時，其實是一，作者美其事而丁寧重言之耳。」「且」字亦作「徂」。《詩・出其東門》：「匪我思且。」釋文：「且，音徂。」《爾雅》云：「徂，存也。」「徂」通作「且」，故「且」亦通作「徂」。《書・粊誓》曰：「徂兹淮夷、徐戎竝興。」「徂」讀爲「且」。且，今也。言今兹淮夷、徐戎竝興也。某氏傳以「徂」爲「往征」。往征兹淮夷、徐戎竝興，斯爲不詞矣。且經言「徂」不言「徂征」也。

且夫者，指事之詞。「且」與「今」同義，或言「今夫」，或言「且夫」，其實一也。

且，猶「夫」也。《墨子・非攻篇》曰：「今且天下之王公大人士君子。」「今且」，今夫也。《孟子・公孫丑篇》曰：「若是，則弟子之惑滋甚。且以文王之德，百年而後崩，猶未洽於天下。」《史記・魏世家》：「翟璜問李克曰：『今者聞君召先生而卜相，果誰爲之？』李克曰：『魏成子爲相矣。』翟璜忿然作色曰：『臣何負於魏成子？』李克曰：『且子之言克於子之君者，豈將比周以求大官哉？』」《春申君傳》曰：「李園，弱人也，僕又善之。且又何至此？」「且」字竝與「夫」同義。

且，更端之詞也。若《論語》「且爾言過矣」是也。常語也。

且，發語詞也。《韓子・難二》曰：「景公過晏子曰：『子宮小近市，請徙子家豫章之圃。』晏子再拜而辭曰：『且嬰家貧，待市食而朝暮趨之，不可以遠。』」《呂氏春秋・貴信篇》曰：「莊公左搏桓公，右抽劒以自承。管仲、鮑叔進。曹劌按劒當兩陛之閒曰：『且二君將改圖，無或進者。』」《趙策》曰：「公子牟辭應侯，應侯曰：『公子將行矣，獨無以教之乎？』曰：『且微君之命命之也，臣固且有效於君。』」上「且」字發語詞，與下「且」字異義。司馬相如《封禪文》曰：「或曰：且天爲質闇，示珍符，固不可辭。」「且」字皆發語詞。

且，句中語助也。《莊子・齊物論篇》曰：「夫隨其成心而師之，誰獨且無師乎？」又曰：「果且有彼是乎哉？果且無彼是乎哉？」《吕氏春秋·無義篇》曰：「公孫鞅使人謂公子卬曰：『今秦令鞅將，魏令公子當之。豈且忍相與戰哉！』」「且」字皆句中語助。

且子餘反

《詩·山有扶蘇》曰：「不見子都，乃見狂且。」毛傳：「且，辭也。」

徂

徂，猶「及」也。《詩·雲漢》曰：「不殄禋祀，自郊徂宫。」言禋祀之禮，自郊而及於宗廟也。箋曰：「從郊而至宗廟。」「至」亦「及」也。《絲衣》曰：「自堂徂基，自羊徂牛，鼐鼎及鼒。」「徂」亦「及」也，互文耳。鄭訓「徂」爲「往」，非也。自羊往牛，則文不成義。言此絲衣載弁之人，其視壺濯籩豆與告濯具，則自堂以及基。其視牲告充，則自羊以及牛。先羊而後牛者，變文協韻耳。《傳》以爲先小後大，非也。其舉鼎冪告絜，則自鼐以及鼒也。以上三「徂」字，皆謂自此及彼，不得以「往」之一訓該之。

作

作，始也。家大人曰：「作」之言「乍」也。乍者，始也。《詩·駉》傳曰：「作，始也。」《廣雅》同。《書·皋陶謨》曰：「烝民乃粒，萬邦作乂。」「作」與「乃」對文，言烝民乃粒，萬邦始治也。《禹貢》曰：「萊夷作牧。」言萊夷水退，始放牧也。又曰：「沱、潛既道，雲土夢作乂。」「作」與「既」對文，言雲土夢始治也。《史記·夏本紀》皆以「爲」字代之，於文義稍疏矣。

作，猶「及」也。《書·無逸》曰：「其在高宗時，舊勞于外，爰暨小人。作其即位，乃或亮陰，三年不言。」又曰：「其在祖甲，不義惟王，舊爲小人。作其即位，爰知小人之依。」皆謂及其即位也。某氏傳訓「作」爲「起」，失之。「作」與「徂」聲相近，《廣韻》「作」字又臧祚切，聲近「徂」。故二者皆可訓爲「及」。

曾 音「增」。此「曾是以爲孝乎」之「曾」。俗讀如「層」，非也。

曾，乃也，則也。《說文》曰：「曾，詞之舒也。」高注《淮南·脩務篇》曰：「曾，則也。」鄭注《檀弓》曰：「則之言曾。」《詩·河廣》曰：「曾不容刀。」「曾不崇朝。」《板》曰：「曾莫惠我師。」《召旻》曰：「曾不知其玷。」《禮記·三年問》曰：「則是曾鳥獸之不若也。」釋文：「曾，則能反。」《吳語》曰：「越曾足以爲大虞乎？」閔二年《公羊傳》曰：「設以齊取魯，曾不興師，徒以言而已矣。」《論語・八佾》曰：「曾謂泰山不如林放乎？」皇侃疏：「曾之言則也。」釋文：「曾，則登反。」《先進》曰：「吾以子爲異之問，曾由與求之問。」孔傳曰：「則此二人之問。」皆是也。

曾是，乃是也，則是也。《詩・正月》曰：「曾是不意。」《蕩》曰：「曾是彊禦，曾是掊克，曾是在位，曾是在服。」正義曰：「言曾者，謂何曾如此，今人之語猶然。」又曰：「曾是莫聽。」《論語・爲政》曰：「曾是以爲孝乎？」馬注：「汝則謂此爲孝乎？」釋文：「曾，音增。馬云：『則。』皇侃云：『嘗也。』」案：皇說非是。今本《論語》馬注脱「則」字，據《釋文》及邢《疏》補。皆是也。

何曾，何乃也，何則也。《孟子・公孫丑篇》曰：「爾何曾比予於管仲？」趙注曰：「何曾，何乃也？」孫奭音義：「曾，丁音增，則也，乃也。」《賈子・諭誠篇》曰：「王何曾惜一踦屨乎？」《晏子春秋・外篇》曰：「讒佞之人，則奚曾爲國常患乎？」「奚曾」，猶何曾。《方言》曰：「曾，何也。《廣雅》同。湘潭之原，荆之南鄙，謂『何』爲『曾』，若中夏言『何爲』也。」

曾 音「層」，此「曾經」之「曾」。

曾，猶「嘗」也。閔元年《公羊傳》曰：「莊公存之時，樂曾淫于宮中。」釋文：「曾，才能反。」案

《玉篇》："曾，子登切，則也。又才登切，經也。"《廣韻》同。是訓爲「則」者，乃「曾是」、「曾謂」之「曾」，音子登切。訓爲「經」者，乃「曾經」之「曾」，音才登切。《羣經音辨》："曾，則也，作滕切。曾，嘗也，昨滕切。"「嘗」即曾經之義。以上諸書，皆音義判然，不相淆雜。《說文》："曾，詞之舒也。"此即「曾是」、「曾謂」之「曾」，當讀如「增」。而徐鉉音昨棱切，則誤讀如「層」矣。《集韻》「曾，徂棱切」，引《說文》「詞之舒也」，即踵徐氏之誤。自是以後，遂以「曾是」、「曾謂」之「曾」讀如「層」矣。當依《玉篇》《廣韻》及《經典釋文》改正。

朁音「慘」 憯 噆 慘

《說文》「朁，曾也」，引《詩》「朁不畏明」。字或作「憯」、「噆」，又作「慘」。《爾雅》："憯，曾也。"郭注曰："發語辭。"《詩·節南山》曰："憯莫懲嗟。"毛傳曰："憯，曾也。"《民勞》傳及《十月之交》箋竝同。《釋文》作「噆」。《十月之交》曰："胡憯莫懲。"釋文："憯，亦作慘。"《民勞》曰："憯不畏明。"《釋文》《正義》及昭二十年《左傳》引《詩》竝作「慘」。《雲漢》曰："憯不知其故。"《釋文》亦作「慘」。曾、朁，皆詞也。故其字竝從曰。或言「曾」，或言「朁」，語之轉耳。

哉

說文："哉，言之閒也。"

哉，問詞也。若《詩・北門》「謂之何哉」之屬是也。《禮記・曾子問》正義曰：「哉者，疑而量度之辭。」若《堯典》「我其試哉」之屬是也。

哉，嘆詞也。或爲歎美，若「大哉乾元」之屬。或爲嗟歎，若「帝曰咈哉」之屬。隨事有義也。

哉，猶「矣」也。若「鮌哉」、「垂哉」、「益哉」、「欽哉」、「懋哉」、「敬哉」、「念哉」之屬，是也。

哉，句中語助也。《書・大誥》曰：「肆哉爾庶邦君。」謂肆爾庶邦君也。「哉」字無意義。

載　𢦏

載，猶「則」也。有句中疊用之者，若「載脂載舝」是也。有數句疊用之者，若「載寢之牀」、「載衣之裳」、「載弄之璋」是也。《詩・載馳》傳曰：「載，辭也。」箋曰：「載之言則也。」韋注《周語》同。字亦作「𢦏」。《廣雅》曰：「𢦏，詞也。」《石鼓文》曰：「𢦏西𢦏北。」

則　即

則者，承上起下之詞。《廣雅》曰：「則，即也。」字或通作「即」。《書・禹貢》曰：「西戎即敘。」「即」與「則」同。敘，順也。「敘」與「順」同義，説見《經義述聞》「百揆時敘」下。言西戎則皆順從也。上言「三苗丕敘」，此言「西戎即敘」，「即」與「丕」皆詞耳。「丕」爲語詞，説見「不」字下。某氏《傳》曰：「羌、髳之屬，皆就次敘。」《漢書·西域傳贊》曰：「《書》曰：『西戎即序。』禹既就而序之，非上威服致其貢物也。」皆訓「即」爲「就」，「敘」爲「次敘」，失其旨矣。「則」與「即」古同聲而通用。《大戴禮·曾子立事篇》：「三十、四十之閒而無藝，即無藝矣。五十而不以善聞，則無聞矣。」「即」亦「則」也。《詩·終風》「願言則嚏」，《一切經音義》十五引此「則」作「即」。《秦策》「此則君何居焉」，《史記·蔡澤傳》「則」作「即」。《史記·秦始皇紀》「聞令下則各以其學議之」，《李斯傳》「則」作「即」。《蘇秦傳》「與之，則無地以給之」，《韓策》「則」作「即」。《春申君傳》「則楚更立君」，《楚策》「則」作「即」。《魯仲連傳》「則臣見公之不能得也」，《齊策》「則」作「即」。

則，猶「其」也。《禮記·檀弓》曰：「人之稱斯師也者，則謂之何？」言其謂之何也。僖二十三年《左傳》曰：「淫刑以逞，誰則無罪？」言誰其無罪也。文十七年《傳》曰：「雖我小國，則蔑以過之矣。」言其蔑以過之也。《吴語》曰：「君有短垣而自踰之。況荆蠻則何有於周室？」言其何有於周室也。昭九年《左傳》：「伯父若裂冠毁冕，拔本塞原，專棄謀主，雖戎、狄其何有余一人？」

則，猶「而」也。文二年《左傳》曰：「《周志》有之，勇則害上，不登於明堂。」言勇而害上也。《逸周書・大匡篇》作「勇如害上」，「如」即「而」字。　昭三年《傳》曰：「寡君願事君，朝夕不倦，將奉質幣以無失時。則國家多難，是以不獲。」言而國家多難也。《莊子・逍遥遊篇》曰：「其視下也，亦若是則已矣。」「則已矣」，而已矣也。《荀子・榮辱篇》曰：「夫貴爲天子，富有天下，是人情之所同欲也。然則從人之欲，則勢不能容，物不能贍也。」《史記・封禪書》曰：「然則怪迂阿諛苟合之法自此興。」「然則」皆謂「然而」也。

則，猶「乃」也。《詩・新臺》曰：「魚網之設，鴻則離之。」言鴻乃離之也。《雲漢》曰：「昊天上帝，則不我遺。羣公先正，則不我助。」言乃不我遺，乃不我助也。桓六年《左傳》曰：「吾牲牷肥腯，粢盛豐備，何則不信？」言何乃不信也。又《書・金縢》曰：「禾則盡起。」言禾乃盡起也。《詩・草蟲》曰：「我心則降。」言我心乃降也。《大戴禮・夏小正篇》曰：「鷹則爲鳩。」言鷹乃爲鳩也。凡《夏小正》言「則」者，皆放此。《月令》曰：「豺乃祭獸戮禽。」《吕氏春秋・季秋紀》「乃」作「則」。《書・洪範》曰：「鮌則殛死，禹乃嗣興。」「則」亦「乃」也，互文耳。

家大人曰：則，猶「若」也。《書・洪範》曰：「女則有大疑，謀及乃心，謀及卿士，謀及庶人，謀及卜筮。」言汝若有大疑也。《禮記・三年問》曰：「今是大鳥獸，則失喪其羣匹，越月逾時焉，則必反巡。」言若失喪其羣匹也。《荀子・議兵篇》曰：「大寇則至，使之持危城，則必畔。遇敵處戰，則必北。」言大寇若至也。《趙策》曰：「彼則肆然而爲帝，過而遂正於天下，則連有赴東海而死矣。」言彼若肆然而爲帝也。《史記・魯仲連傳》「彼則」作「彼即」。「即」亦「若」也。互見「即」字下。《燕策》曰：「誠得劫秦王，使悉反諸侯之侵地，則大善矣。則不可，因而刺殺之。」言若不可也。《韓詩外傳》曰：「臣之里婦，有夫死三日而嫁者，有終身不嫁者。則自爲娶，將何娶焉？」《漢書・蒯通傳》作「足下即欲求婦，何取」。「即」亦「若」也。言若自爲娶也。《史記・高祖紀》曰：「今聞章邯降項羽，項羽乃號爲雍王，王關中。今則來，沛公恐不得有此。」言今若來也。《項羽紀》曰：「項王謂曹咎等曰：『謹守成皋，則漢欲挑戰，慎勿與戰。』」《漢書・項籍傳》作「即漢欲挑戰」。「即」與「則」古字通，而同訓爲「若」。故《史記・高祖紀》作「若漢挑戰」也。《史記・袁盎傳》：「申屠嘉曰：『使君所言公事，之曹與長史掾議，吾且奏之。即私邪，吾不受私語。』」《漢書》「即」作「則」。即、則，皆若也。

則，猶「或」也。「或」與「若」義相近。《史記・陳丞相世家》曰：「樊噲，帝之故人也。功多，且又乃呂后弟呂須之夫，有親且貴。帝以忿怒故欲斬之，則恐後悔。」言或恐後悔也。

何則，何也也。《墨子・尚賢篇》曰：「故雖昔者三代暴王桀、紂、幽、厲之所以失損其國家，傾覆其社稷者，已此故也。何則？皆以明小物而不明大物也。」《荀子・宥坐篇》

曰：「百仞之山，任負車登焉。何則？陵遲故也。」《韓子・顯學篇》曰：「雖有不恃賞罰而恃自善之民，明主弗貴也。何則？國法不可失，而所治非一人也。」《齊策》曰：「屬聞古大禹之時，諸侯萬國，何則？德厚之道得，貴士之力也。」義竝與「何也」同。《秦策》曰：「臣恐韓、魏之卑辭慮患，而實欺大國也。此何也？王既無重世之德於韓、魏，而有累世之怨。」《史記・春申君傳》「此何也」作「何則」。

即　則

即，猶「遂」也。《書・西伯戡黎》曰「殷之即喪」是也。常語也。

即，猶今人言「即今」也。《史記・項羽紀》「項羽即日因留沛公與飲」是也。字亦作「則」。《漢書・王莽傳》曰：「應聲滌地，則時成創。」顏注曰：「則時，即時也。」

即，猶今人言「即是」也。襄八年《左傳》曰「非其父兄，即其子弟」是也。字亦作「則」。《鄭語》曰：「是非王之支子母弟甥舅也，則皆荆、蠻、戎、狄之人也。非親則頑，不可入也。」

家大人曰：《漢書・西南夷傳》注曰：「即，猶若也。」昭十二年《左傳》：「南蒯枚筮之，遇《坤》之《比》。示子服惠伯曰：『即欲有事，何如？』」言若欲有事也。莊三十二年《公羊傳》：「莊公病將死，謂季子曰：『寡人即不起此病，吾將焉致乎魯國？』」言若不起此病也。

僖三十三年《傳》:「百里子與蹇叔子送其子而戒之曰:『爾即死,必於殽之嶔巖。』」言爾若死也。襄二十七年《傳》甯殖將死,謂其子喜曰:「我即死,女能固納公乎?」言我若死也。《賈子·胎教篇》:「史鰌病且死,謂其子曰:『我即死,治喪於北堂。』」《史記·孔子世家》:「季桓子病,顧謂其嗣康子曰:『我即死,若必相魯。』」《爾雅·釋地》曰:「西方有比肩獸焉,與邛邛岠虛比,爲邛邛岠虛齧甘草。即有難,邛邛岠虛負而走。」言若有難也。《秦策》曰:「今王以漢中與楚,即天下有變,王何以市楚也?」言若天下有變也。《趙策》曰:「所貴於天下之士者,爲人排患釋難解紛亂而無所取也。即有所取者,是商賈之人也。」言若有所取也。《魏策》曰:「今王恃楚之强,而信春申君之言,以是質秦而久不可知。即春申君有變,是王獨受秦患也。」言若春申君有變也。《史記·秦本紀》曰:「晉公子圉聞晉君病,曰:『即君百歲後,秦必留我。』」言若君百歲後也。《晉世家》曰:「夷吾使郤芮厚賂秦,約曰:『即得入,請以晉河西之地與秦。』」言若得入也。《鄭世家》曰:「齊襄公會諸侯於首止。鄭子亹曰:『齊彊而厲公居櫟,即不往,且率諸侯伐我,内厲公。』」言若不往也。又僖二十三年《左傳》「公子若反晉國,則何以報不穀」,《史記·晉世家》作「子即反國,何以報寡人」。昭七年《傳》「我若獲没,必屬說與何忌於夫子」,《孔子世家》作「吾即没,若必師之」。《管子·戒篇》:「管仲寢疾,桓公往問之曰:『仲父之疾甚矣,若不幸而不起此疾,彼政我將安移之?』」《韓子·十過篇》作「即不幸而不起此病」。是「即」與「若」同義。《史記・趙世家》曰：「朔之婦有遺腹，若幸而男，吾奉之。即女也，吾徐死耳。」「即」亦「若」也，互文耳。

即，猶「或」也。「或」與「若」義相近。《越語》曰：「若以越國之罪爲不可赦也，將焚宗廟，係妻孥，沈金玉於江。有帶甲五千人，將以致死。無乃即傷君王之所愛乎？」言或傷君王之所愛也。《史記・吕后紀》曰：「劉澤爲大將軍，太后王諸吕，恐即崩後，劉將軍爲害。」言或崩後爲害也。《張丞相傳》曰：「戚姬子如意爲趙王，年十歲，高祖憂即萬歲之後不全也。」言或萬歲之後不全也。「即」與「則」古同聲，故「即」訓爲「若」，亦訓爲「或」。「則」訓爲「或」，亦訓爲「若」。互見「則」字下。

嗞音「兹」　兹　子

《説文》：「嗞，𧪘也。」「𧪘」與「嗟」同。《廣韻》：「嗞嗟，憂聲也。」倒言之，則曰「嗟嗞」，或作「嗟兹」，或作「嗟子」。《詩・綢繆》曰：「子兮子兮，如此良人何？」毛傳曰：「子兮者，嗟兹也。」《管子・小稱篇》曰：「嗟兹乎，聖人之言長乎哉！」《秦策》曰：「嗟嗞？乎司空馬！」《楚策》曰：「嗟乎子乎，楚國亡之日至矣！」《書大傳》曰：「諸侯在廟中者，愀然若復見文、武之身，然後曰：『嗟子乎，此蓋吾先君文、武之風也夫！』」《説苑・貴德篇》曰：「嗟嗞乎，我窮必矣！」楊雄《青州牧箴》曰：「嗟茲天王，附命下土！」竝字異而義同。《詩》言「子兮」，猶曰「嗟子乎」、「嗟嗞乎」也，故《傳》以「子兮」爲「嗟茲」。正義曰：「茲，此也。嗟歎此身不得見良人。」非《傳》意也。《箋》謂「子兮子兮，斥娶者」，殆失其義。其注《書大傳》又曰：「子，成王也。」案：「嗟子乎」乃諸侯之詞，諸侯之於天子，豈得稱之爲子乎？斯不然矣。

𧫡　嗟　𩬻

《説文》：「𧫡，嗞也。一曰痛惜。」《爾雅》曰：「嗟，𩬻也。」郭注曰：「今河北人云𩬻歎。」「𧫡」、「嗟」、「𩬻」，竝同。又《詩・烈祖》箋曰：「重言嗟嗟，美歎之深。」《詩・麟之趾》傳曰：「于嗟，歎辭。」

叱嗟，猝嗟，皆怒聲也。《趙策》曰：「齊威王勃然怒曰：『叱嗟，而母，婢也！』」《漢書・韓信傳》曰：「項王意烏猝嗟，千人皆廢。」李奇曰：「猝嗟，猶咄嗟也。」案：《史記》作「喑噁叱咤」，李説是也。顔師古曰：「猝嗟，暴猝嗟歎也。」則望文生義而失其本旨矣。

嗟，語助也。《詩・中谷有蓷》曰：「啜其泣矣，何嗟及矣！」「何嗟及」，何及也。言雖泣而無及於事也。嗟，句中語助耳。箋曰：「及，與也。嗟乎，將復何與爲室家乎！」先言「嗟」而後言「何及」，未免倒置經文。或疑經文「嗟」字本在「何」字上，而寫者倒之，非也。《韓詩外傳》兩引

《詩》，皆作「何嗟及矣」。晉孔坦《與石聰書》亦曰：「雖復後悔，何嗟及矣。」「嗟」字皆在「何」字下，鄭訓「嗟」爲「嗟乎」，故不得不先言「嗟」而後言「何及」，非今本誤倒也。又訓「及」爲「與」，皆失之。《節南山》曰：「天方薦瘥，喪亂弘多。民言無嘉，憯莫懲嗟。」「憯莫懲嗟」，憯莫懲也。《十月之交》曰：「胡憯莫懲。」言天降喪亂如此，而在位者，曾莫知所懲也。嗟，句末語助耳。若訓爲歎詞，則與上三字義不相屬矣。箋曰：「嗟乎奈何。」亦失之。

呰音「紫」　訾

《說文》：「呰，苛也。」「苛」與「呵」同。《呂氏春秋·權勳篇》：「昔荆龔王與晉厲公戰於鄢陵。臨戰，司馬子反渴而求飲，豎陽穀操黍酒而進之。子反叱曰：『訾，句。《韓子·十過篇》「訾」作「嘻」。退！句酒也。』」「訾」與「呰」同。

經傳釋詞弟九

終 衆

家大人曰：終，詞之「既」也。僖二十四年《左傳》注曰：「終，猶已也。」「已止」之「已」曰「終」，因而「已然」之「已」亦曰「終」。故曰「詞之『既』也」。《詩·終風》曰：「終風且暴。」毛傳曰：「終日風爲終風。」《韓詩》曰：「終風，西風也。」此皆緣詞生訓，非經文本義。終，猶「既」也。言既風且暴也。箋曰：「既竟日風矣，而又暴疾。」此因經文下有「且」字，故增「既」字以成其義。而不知經文之「終」即「既」也。《爾雅》曰：「南風謂之凱風，東風謂之谷風，北風謂之涼風，西風謂之泰風，焚輪謂之穨，迴風爲飄。」以上六句，通釋詩詞，而不及「終風」。又曰：「日出而風爲暴，風而雨土爲霾，陰而風爲曀。」以上三句，專釋此詩，而亦不及「終風」，則「終」爲語詞明矣。下文「終風且霾」、「終風且曀」義竝與此同。《燕燕》曰：「終温且惠，淑慎其身。」言既温且惠也。正義曰：「終當顏色温和，且能恭順。」失之。《北門》曰：「終窶且貧，莫知我艱。」言既窶且貧也。箋曰：「君于己禄薄，終不足以爲禮，又近困於財。」失之。《伐木》曰：「神之聽之，終和且平。」言既和且平也。《那》曰「既和且平」是也。箋曰：「神若聽之，使得如志，則友終相與和而齊功也。」失之。《甫田》曰：「禾易長畝，終善且有。」言既善且有也。正義曰：「終至成善，且收而大有。」失之。《正月》曰：「終其永懷，又窘陰雨。」言既長憂傷，又仍陰雨也。箋曰：「終王之所行，其長可憂傷矣，又將仍憂於陰雨。」失之。「終」與「既」同義，故或上言「終」而下言「且」，或上言「終」而下言「又」。説者皆以「終」爲「終竟」之「終」，而經文上下相因之指，遂不可尋矣。又《葛藟》曰：「終遠兄弟，謂他人父。」言既遠兄弟也。傳曰：「兄弟之道已相遠。」箋曰：「今已遠棄族親。」「已」亦「既」也。正義曰：「王終是遠於兄弟。」失傳、箋之意矣。《鄭・揚之水》曰：「終鮮兄弟，維予與女。」言既鮮兄弟也。箋曰：「後竟寡於兄弟之恩。」訓「終」爲「竟」，失之。《定之方中》曰：「卜云其吉，終然允臧。」然，猶「而」也。見「然」字下。言既而允臧也。此言文公既遷而得吉，信如卜所云也。「終然」，猶「既而」也。《列女傳・節義傳》曰：「昔吾先君莊王淫樂，三年不聽政事。終而能改，卒霸天下。」言既而能改也。《正義》曰：「終然信善，非直當今而已。」則誤以「終」爲「終竟」之「終」矣。説者以「終」爲「終竟」，亦失之。引之謹案：《載馳》曰：「許人尤之，衆穉且狂。」「衆」讀爲「終」。古字多借「衆」爲「終」。《史記・五帝紀》：「怙終賊刑。」徐廣曰：「終，一作衆。」《詩・振鷺》「以永終譽」，《後漢書・崔駰傳》「終」作「衆」。《韓策》「臣使人刺之，終莫能就」，《史記・刺客傳》「終」作「衆」。終，既也。穉，驕也。《管子・重令篇》：「工以雕文刻鏤相穉。」尹知章注：「穉，驕也。」《莊子・列禦寇篇》：「以其十乘驕穉莊子。」此承上文而言。女子善懷，亦各有道，是我之欲歸，未必非也。而許人偏見，輒以相尤，則既驕且妄矣。蓋自以爲是，驕也；以是爲非，妄也。毛公不知「衆」

之爲「終」而云「是乃衆幼穉且狂」。許之大夫，豈必人人皆幼邪？

誰

《説文》曰：「誰，何也。」常語。

《爾雅》曰：「誰昔，昔也。」郭注曰：「誰，發語辭。」《詩・墓門》曰：「知而不已，誰昔然矣。」鄭箋用《爾雅》。邵氏二雲《爾雅正義》曰：「《釋詁》云：『疇，誰也。』『誰』、『疇』，一聲之轉，《詩》言『誰昔』，猶《檀弓》言『疇昔之夜』也，故爲發語辭。」

孰

《爾雅》曰：「孰，誰也。」常語。

孰，猶「何」也。家大人曰：「『孰』、『誰』一聲之轉。『誰』訓爲『何』，故『孰』亦訓爲『何』。《晉語》曰：『惠公出共世子而改葬之，臭達於外。國人誦之曰：「孰是人斯，而有是臭也？」』孰，何也。斯，詞也。言何是人而有是臭也。韋注：『孰，誰也。斯，斯世子也。誰使是人有是臭者，言惠公使之也。』於《傳》意不合。《越語》曰：『孰是君也而可無死乎？』言有君如是，何可不爲之死也。韋注：『孰，誰也。誰有恩惠如是君者，可不爲之死乎？』亦未合。昭二十五年《公羊傳》曰：『孰君而無稱？」言何君而無稱也。《論語・八佾篇》曰：「是可忍也，孰不可忍也？」《楚辭・九章》曰：「孰兩東門之可蕪？」《吕氏春秋・知接篇》曰：「孰之壞壞也，可以爲之莽莽也？」兩「之」字皆訓爲「是」。「孰」字竝與「何」同義。又《大戴禮・曾子制言篇》曰：「則雖女親，庸孰能親女乎？」庸、孰，皆何也。盧辯注：「庸，用也。孰，誰也。」皆失之。互見「庸」字下。連言「庸孰」者，古人恒有複語。若《莊子》言「庸詎」矣。又書傳中言「孰與」者，皆謂「何如」也。《廣雅》曰：「與，如也。」《秦策》曰：「秦昭王謂左右曰：『今日韓、魏孰與始强？』對曰：『弗如也。』王曰：『今之如耳、魏齊，孰與孟嘗、芒卯之賢？』對曰：『弗如也。』」《齊策》曰：「田侯召大臣而謀曰：『救趙孰與勿救？』」《趙策》曰：「趙王與樓緩計之曰：『與秦城何如不與？』」今本「不與」下衍「何如」二字，辯見《讀書雜志》。是「孰與」即「何如」也。故《漢書・司馬相如傳》「楚王之獵，孰與寡人」，《史記》作「何與寡人」。

者　諸

《説文》：「者，別事詞也。」或指其事，或指其物，或指其人。或言「者」，或言「也者」，《禮記・檀弓》：「魯人有周豐也者。」皆常語也。又爲起下之詞，或上言「者」而下言「也」，或上言「也者」而下言「也」。《易・繫辭傳》：「負也者，小人之事也。乘也者，君子之器也。」亦常語也。字或作「諸」。

《禮記・郊特牲》曰：「不知神之所在，於彼乎？於此乎？或諸遠人乎？」「或諸」，即「或者」。僖九年《左傳》曰：「以是藐諸孤。」藐，小也。見《廣雅》。「藐諸」，即「藐者」。「藐者孤」，猶言「羸者陽」耳。杜以「藐」爲「縣藐」，「諸」爲「諸子」，非是。辯見《經義述聞》。《爾雅・釋魚》：「龜：俯者，靈。仰者，謝。前弇諸，句果。後弇諸，句獵。」「諸」亦「者」字。

者，猶「也」也。《禮記・射義》：「射之爲言者繹也。」猶曰射之爲言也繹也。《鄭語》：「公曰：『周其弊乎？』對曰：『殆於必弊者。』」言殆於必弊也。又書傳中凡言「何者」者，竝與「何也」同義。《論語・陽貨篇》：「惡紫之奪朱也，惡鄭聲之亂雅樂也，惡利口之覆邦家者。」「者」與「也」亦同義，故皇侃本作「惡利口之覆邦家也」。

諸

《士昏禮記》注曰：「諸，之也。」常語。

《鄉射禮》注曰：「諸，於也。」亦常語。

《小爾雅》曰：「諸，乎也。」《詩・日月》曰：「日居月諸，照臨下土。」毛傳曰：「日乎月乎，照臨之也。」《禮記・祭義》曰：「齊齊乎其敬也，愉愉乎其忠也，勿勿諸其欲其饗之也。」又曰：「孝弟發諸朝廷，行乎道路，至乎州巷，放乎獀狩，修乎軍旅。」「諸」亦「乎」也，互文耳。

故《祭義》「勿勿諸其欲其饗之也」，《禮器》「諸」作「乎」。《樂記》「理發諸外」，《祭義》「諸」作「乎」。

諸，之乎也。急言之曰「諸」，徐言之曰「之乎」。《禮記·檀弓》曰：「吾惡乎哭諸？」又曰：「《書》云：『高宗三年不言，言乃歡。』有諸？」凡言「有諸」者，放此。《文王世子》曰：「君王其終撫諸？」僖二十三年《左傳》曰：「天其或者將建諸？」《論語·雍也篇》曰：「山川其舍諸？」此皆「之乎」二字之合聲。

諸，語助也。文五年《左傳》：「臯陶、庭堅不祀忽諸！」服注曰：「諸，辭。」見《詩·邶·柏舟》正義。

之

之，言之閒也。若「在河之洲」之屬是也。常語也。

之，指事之詞也。若「左右流之」之屬是也。亦常語。

之，是也。故《爾雅》曰：「之子者，是子也。」亦常語。

之，猶「諸」也。「諸」、「之」一聲之轉。《禮記·少儀》曰：「僕者負良綏，申之面。拖諸幦。」《孟子·滕文公篇》曰：「禹疏九河，瀹濟、漯而注諸海，決汝、漢，排淮、泗而注之江。」

「之」亦「諸」也，互文耳。故《詩·伐檀篇》「寘之河之側兮」，《漢書·地理志》「寘之」作「寘諸」。襄二十六年《左傳》「棄諸堤下」，《五行志》「棄諸」作「棄之」。

之，猶「於」也。「諸」、「之」一聲之轉。「諸」訓爲「於」，故「之」亦訓爲「於」。《禮記·檀弓》曰：「之死而致死之，不仁。之死而致生之，不知。」言於死而致死之，則不仁。於死而致生之，則不知也。鄭訓「之」爲「往」，失之。《大學》曰：「人之其所親愛而辟焉。」言於其所親愛而辟也。鄭訓「之」爲「適」，亦失之。《大戴禮·事父母篇》曰：「養之内，不養於外，則是越之也。養之外，不養於内，則是疏之也。」「之」亦「於」也，互文耳。

《吕氏春秋·音初篇》注曰：「之，其也。」《書·西伯戡黎》曰：「殷之即喪。」言殷其即喪也。《微子》曰：「今殷其淪喪。」《詩·旄丘》曰：「旄丘之葛兮，何誕之節兮！」上「之」字，句中語助也。下「之」字，則訓爲「其」。言旄丘之葛，何疏闊其節而不相附。毛傳：「誕，闊也。」以喻衛之諸臣，何多日而不相救也。《碩鼠》曰：「樂郊樂郊，誰之永號？」言樂郊之民，誰其悲歎而長號者。明皆喜樂也。箋訓「之」爲「往」，失之。《禮記·檀弓》曰：「公再拜稽首請於尸曰：『有臣柳莊也者，非寡人之臣，社稷之臣也。聞之死，請往。』」言聞其死也。《郊特牲》曰：「天子樹瓜華，不斂藏之種也。」言天子但樹瓜華以供食而已，不收藏其種，以與民爭利也。正義曰：「不收斂久藏之種。」失之。昭十六年《左傳》曰：「斬之蓬蒿藜藋而共處之。」言斬其蓬蒿藜藋也。《莊子·至樂篇》曰：「壽者惛惛，久憂不死，何之苦也。」言何其苦也。《荀子·王制篇》曰：「之所以接下之人百姓者。」「之所以」，其所以也。《詩·采緑》曰：「之子于狩，言韔其弓。之子于釣，言綸之繩。」「之」亦「其」也，互文耳。《一切經音義》一引《易注》曰：「綸，經理也。」綸之繩，理其繩也。故《孟子·公孫丑篇》「天下之民，皆悦而願爲之氓」，《周官·載師》注引此「爲之氓」作「爲其民」。「之」可訓爲「其」，「其」亦可訓爲「之」。互見「其」字下。

之，猶「若」也。《書·盤庚》曰：「邦之臧，惟女衆。邦之不臧，惟予一人有佚罰。」言邦若臧，邦若不臧也。《牧誓》曰：「牝雞之晨，惟家之索。」言牝雞若晨也。《洪範》曰：「臣之有作福作威玉食，其害于而家，凶于而國。」言臣若有作福作威玉食也。《金縢》曰：「爾之許我，我其以璧與珪，歸俟爾命。」言爾若許我也。又曰：「我之弗辟，我無以告我先王。」言我若弗辟也。僖三十三年《左傳》曰：「寡君之以爲戮，死且不朽。若從君惠而免之，三年將拜君賜。」宣十二年《傳》曰：「楚之無惡，除備而盟，何損於好。若以惡來，有備不敗。」成二年《傳》曰：「大夫之許，寡人之願也。若其不許，亦將見也。」皆上言「之」而下言「若」。「之」亦「若」也，互文耳。《荀子·正名篇》曰：「假之有人欲南而惡北。」《性惡篇》曰：「假之有弟兄資財而分者。」「假之」，皆謂「假若」也。

之，猶「則」也。僖九年《左傳》曰：「東略之不知，西則否矣。」《晉語》曰：「華則榮矣，實之不知。」「之」亦「則」也，互文耳。

之，猶「與」也。《書·立政》曰：「文王罔攸兼于庶言庶獄庶愼，惟有司之牧夫。」又曰：「其勿誤于庶獄，惟有司之牧夫。」皆謂有司與牧夫也。某氏傳曰：「惟愼擇有司牧夫而已。」《考工記·梓人》曰：「必深其爪，出其目，作其鱗之而。」謂作其鱗與而也。而，頰毛也。鄭注：「之而，頰頌也。」以「之而」二字連讀，失之。辯見《經義述聞》。《禮記·月令》曰：「天子親載耒耜，措之于參保介之御閒。」謂保介與御者之閒也。鄭注：「保介，車右也。置耒於車右與御者之閒。」「與」字正釋「之」字。段氏若膺《禮記》校本謂「之御」當爲「御之」，非也。辯見《經義述聞》。文十一年《左傳》：「皇父之二子死焉。」二子者，公子穀甥、司寇牛父也。言皇父與此二子皆死也。賈注曰：「皇父與谷甥、牛父三子皆死。」杜注同。成十六年《傳》：「潘尪之黨。」襄二十三年《傳》：「申鮮虞之傅摯。」謂潘尪與黨，申鮮虞與傅摯也。

之，猶「兮」也。昭二十五年《左傳》曰：「鸜之鴝之，公出辱之。」三「之」字，竝與「兮」同義。

之，語助也。《詩·君子偕老》曰：「玼兮玼兮，其之翟也。」「其之翟」，其翟也。之，語助耳。《蓼莪》曰：「鮮民之生，不如死之久矣。」言不如死久矣也。《禮記·射義》「公罔之裘」，鄭注曰：「之，發聲也。」僖二十四年《左傳》「介之推」，杜注曰：「之，語助。」凡《春秋》人名中有「之」字者，皆放此。

旃

旃，之也，焉也。《詩·陟岵》曰：「上愼旃哉！」毛傳曰：「旃，之也。」《采苓》曰：「舍旃舍旃。」箋曰：「旃之言焉也。舍之焉，舍之焉。」「之」、「旃」聲相轉，「旃」、「焉」聲相近，「旃」又爲「之焉」之合聲。

是 氏

《廣雅》曰：「是，此也。」常語。

是，猶「於是」也。《書·禹貢》曰：「桑土既蠶，是降丘宅土。」言於是降丘宅土也。《詩·葛覃》曰：「是刈是濩。」正義曰：「於是刈取之，於是濩煮之。」

是，猶「寔」也。《詩·閟宮》曰：「是生后稷。」言姜嫄寔生后稷也。字或作「氏」。《大戴禮·帝繫篇》曰：「黃帝娶于西陵氏之子，謂之嫘祖。句氏産青陽及昌意。」言寔生青陽及昌意也。《禮記·曲禮》曰:「五官之長曰伯,是職方。」言寔主東西二方之事也。《論語·季氏篇》曰:「求,無乃爾是過與?」言爾寔過也。「寔」,字亦作「實」。僖五年《左傳》:「鬼神非人實親,惟德是依。」「實」亦「是」也,互文耳。「是」訓爲「寔」,故「寔」亦訓爲「是」。見「寔」字下。

是,猶「之」也。《詩·氓》曰:「反是不思,亦已焉哉!」言反之不思也。《大戴禮·文王官人篇》曰:「平人而有慮者,使是治國家而長百姓。」「使是」,使之也。襄十四年《左傳》曰:「晉國之命,未是有也。」言未之有也。「是」訓爲「之」,故「之」亦訓爲「是」。互見「之」字下。

是,猶「祇」也。《論語·爲政篇》曰:「今之孝者,是謂能養。」言祇謂能養也。「是」與「祇」同義,故薛綜注《東京賦》曰:「祇,是也。」

是,猶「則」也。《大戴禮·王言篇》「教定是正矣」,《家語》作「正教定則本正矣」。《鄭語》曰:「若更君而周訓之,是易取也。」韋注曰:「更以君道導之,則易取。」

是,猶「夫」也。《禮記·三年問》曰「今是大鳥獸」,《荀子·禮論篇》「今是」作「今夫」。《荀子·宥坐篇》曰「今夫世之陵遲亦久矣」,《韓詩外傳》「今夫」作「今是」。《墨子·天志篇》曰:「今是楚王食於楚之四境之內,故愛楚之人。」《荀子·榮辱篇》曰:「今是人之口腹。」《富國篇》曰：「今是土之生五穀也。」竝與「今夫」同義。《孟子·公孫丑篇》曰：「予豈若是小丈夫然哉！」「是小丈夫」，夫小丈夫也。「是」訓爲「夫」，故「夫」亦訓爲「是」。互見「夫」字下。

是故、是以，皆承上起下之詞。常語也。

時

《爾雅》曰：「時，是也。」《書·堯典》曰：「黎民於變時雍。」

寔 實

《爾雅》曰：「寔，是也。」《詩·小星》傳同。《春秋》桓六年：「寔來。」《公羊傳》曰：「寔來者何？猶曰是人來也。」《穀梁傳》曰：「寔來者，是來也。」「寔」與「是」同義，故《秦誓》「是能容之」，《大學》「是」作「寔」。經傳作「實」者，借字耳。《易·既濟》九五「實受其福」，《坊記》「實」作「寔」。《詩·小星篇》「寔命不同」，《韓詩》「寔」作「實」。《燕燕篇》「實勞我心」，「實」本亦作「寔」。《韓奕篇》「實墉實壑，實畝實藉」，鄭箋「實，當作寔。趙、魏之東實、寔同聲。寔，是也。」《覲禮》「伯父實來」，鄭注：「今文『實』作『寔』。」皆當以「寔」爲正字，「實」爲借字。

只 旨 咫 軹

《説文》:「只,語已詞也。」《詩・燕燕》曰:「仲氏任只。」《鄘・柏舟》曰:「母也天只,不諒人只。」毛傳:「母也天也,尚不信我。」字亦作「軹」。《莊子・大宗師篇》曰:「而奚來爲軹。」崔譔注:「軹,辭也。」《楚辭・大招》句末皆用「只」字。

只,亦句中語助也。《詩・樛木》及《南山有臺》《采菽》竝曰:「樂只君子。」《北風》曰:「既亟只且。」《君子陽陽》曰:「其樂只且。」字亦作「旨」。《左傳・襄十一年》《二十四年》及《昭十三年》引《詩》竝作「樂旨君子」。

只,詞之「耳」也。襄二十七年《左傳》曰:「諸侯歸晉之德只,杜注:「只,辭。」非歸其尸盟也。」只,猶「耳」也。《晉語》曰:「文公學讀書於臼季,三日,曰:『吾不能行咫,句聞則多矣。』」「咫」與「只」同。言吾但不能行耳,所聞則已多矣。韋注:「咫,咫尺閒。」失之。又案:今本「不能行」下有「也」字,後人妄加之也。行下有「也」字,則「咫」字當下屬爲句。韋解「咫」字,亦當在句末矣。今注在「咫」字下,故知「咫」字上屬爲句,而「行」下本無「也」字也。今删去「也」字。《楚語》曰:「是知天咫,安知民則。」「咫」亦與「只」同。韋注:「咫,言少也。此言少知天道耳,何知治民之法?」失之。

咫,詞之「則」也。《賈子・淮難篇》曰:「陛下於淮南王,不可謂薄矣。然而淮南王,天子之法，句咫蹂促而弗用也。皇帝之令，句咫批傾而不行也。」又曰：「陛下無負也如是，句咫淮南王，罪人之身也。淮南王子，罪人之子也。」又曰：「是立咫泣沾衿，臥咫泣交項。」以上諸「咫」字竝與「則」同義。故《連語篇》：「牆薄咫亟壞，繒薄咫亟裂，器薄咫亟毁，酒薄咫亟酸。」《新序·雜事篇》「咫」竝作「則」。

啻施智反　翅　適

《說文》：「啻，語時不啻也。」《一切經音義》卷三引《蒼頡篇》曰：「不啻，多也。」《書·多士》曰：「爾不啻不有爾土。」《無逸》曰：「不啻不敢含怒。」《秦誓》曰：「不啻如自其口出。」《多士》釋文曰：「啻，徐本作翅。」《孟子·告子篇》曰：「取食之重者，與禮之輕者而比之，奚翅食重。」《莊子·大宗師篇》曰：「陰陽於人，不翅於父母。」「翅」竝與「啻」同，字亦作「適」。《說文》：「適，從辵啻聲。」「適」、「啻」聲相近，故古字或以「適」爲「啻」。《秦策》曰：「疑臣者不適三人。」「不適」與「不啻」同。故高注讀「適」爲「翅」。《史記·甘茂傳》作「疑臣者非特三人」。「非特」，猶「不啻」也。《孟子·告子篇》曰：「飲食之人，無有失也，則口腹豈適爲尺寸之膚哉！」「適」亦與「啻」同。故趙注曰：「口腹豈但爲肥長尺寸之膚邪！」「但」字正釋「適」字。而孫宗古不爲「適」字作音，蓋已不知其爲「啻」之借字矣。又曰：《莊子·胠篋篇》：「跖之徒問於跖曰：『盜亦有道乎？』跖曰：『何適而無有道邪？夫妄意室中之藏，聖也。入先，勇也。出後，義也。知可否，知也。分均，仁也。』」案：「何適而無有道邪」本作「何適其有道邪」。「適」與「啻」同。言豈但有道而已哉，乃聖、勇、義、知、仁五者皆備也。後人不知「適」與「啻」同，而誤讀爲「適齊適楚」之「適」，因妄改之耳。《淮南·道應篇》作「奚適其無道也」，「無」字亦後人所改。《呂氏春秋·當務篇》作「奚啻其有道也」，《魯語》「奚啻其聞之也」，句法正與此同。足正後人妄改之非。而陸氏《莊子釋文》不爲「適」字作音，則所見本已非其舊矣。

衹音「支」　多

《詩·我行其野》曰：「成不以富，亦衹以異。」毛傳曰：「衹，適也。」常語也。字或作「多」。襄二十九年《左傳》「衹見疏也」，《正義》「衹」作「多」，云：「多見疏，猶《論語》云『多見其不知量也』。」服虔本作『衹見疏』，解云：『衹，適也。』晉、宋、杜本皆作『多』。古人『多』、『衹』同音。」家大人曰：襄十四年《左傳》荀偃曰：「吾令實過，悔之何及？多遺秦禽。」「多」讀爲「衹」。衹，適也。言若不班師，則適爲秦所禽獲而已。杜注曰：「恐多爲秦所禽獲。」非也。又昭二十五年《公羊傳》子家駒曰：「季氏得民衆久矣，君無多辱焉。」「多」

亦讀爲「衹」。言君無適自取辱也。昭二十九年《左傳》曰「君衹辱焉」是也。《釋文》「多」字無音，蓋不知爲「衹」之借字。引之謹案：定十五年《左傳》：「存亡有命，事楚何爲？多取費焉。」「多」亦讀爲「衹」。言事楚，則適自取貢獻之費也。昭十三年《傳》曰：「衹取辱焉。」二十六年《傳》曰：「衹取誣焉。」定四年《傳》曰：「衹取勤焉。」哀十四年《傳》曰：「衹取死焉。」文義正相合也。哀八年《傳》：「不足以害吴，而多殺國士，不如已也。」「多」亦讀爲「衹」。言不足以害吴人，而適傷魯之國士也。僖十五年《傳》曰：「晉未可滅而殺其君，衹以成惡。」哀十三年《傳》曰：「無損於魯而衹爲名。」文義正相合也。《釋文》「多」字無音，皆失之。

適

適，謂「適然」也。《詩·伐木》曰：「寧適不來，微我弗顧。」昭十七年《左傳》曰：「鳳鳥適至。」是也。

適，猶「是」也。《荀子·王霸篇》：「孔子曰：『審吾所以適人，句適人之所以來我也。』」上「適」字訓爲「往」，下「適」字訓爲「是」。言我之所以往，即是人之所以來，不可不審也。《吕氏春秋·胥時篇》曰：「王子光見五子胥而惡其貌，不聽其説而辭之。曰：『其貌適吾所甚惡也。』」言是吾所甚惡也。劉歆《與楊雄書》曰：「今聖朝留心典誥，發精於殊語。欲以驗考四方之事，適子雲攘意之秋也。」言是子雲攘意之秋也。

適，猶「若」也。《韓子·内儲説》：「鄭袖誡御者曰：『王適有言，必亟聽從王言。』」言王若有言也。又曰：「秦侏儒善於荆王左右，荆適有謀，侏儒常先聞之。」言荆若有謀也。《外儲説右篇》：「國羊謂鄭君曰：『臣適不幸而有過，願君幸而告之。』」言臣若不幸而有過也。

識

識，猶「適」也。家大人曰：成十六年《左傳》：「識見不穀而趨，無乃傷乎？」言適見不穀而趨也。《晉語》作「屬見不穀而下」，韋注曰：「屬，適也。」「適」與「識」之同訓，猶「適」與「直」之同訓也。《孟子·告子篇》曰：「口腹豈適爲尺寸之膚哉？」言豈直爲尺寸之膚也。直，如「直不百步耳」之「直」。「識」、「直」二字，於古音屬職部。「適」於古音屬錫部。「適」之爲「識」，猶「適」之爲「直」也。「識」與「適」同義而不同音。《九經古義》謂「識」當爲「適」，非也。

屬音「燭」

屬，適也。成二年《左傳》曰：「下臣不幸，屬當戎行。」杜注曰：「屬，適也。」昭四年《傳》曰：「屬有宗祧之事於武城。」《魯語》曰：「吾屬欲美之。」韋注亦曰：「屬，適也。」屬，猶今人言「適纔」也。《晉語》曰：「屬見不穀而下，無乃傷乎？」韋注曰：「屬，適也。」《史記·留侯世家》曰：「天下屬安定，何故反乎？」屬，猶「祇」也。昭二十八年《左傳》及《晉語》竝云：「願以小人之腹，爲君子之心，屬厭而已。」言祇取厭足而已也。韋注曰：「屬，適也。適小飽足，則自節止。」近之。杜以「屬」爲「足」，古無此訓，非也。

止

《詩·草蟲》曰：「亦既見止，亦既覯止。」毛傳曰：「止，辭也。」

所

所者，指事之詞。若「視其所以，觀其所由」之屬是也。常語也。

所，猶「可」也。《晏子春秋·雜篇》曰：「聖人非所與嬉也。」非，猶「不」也。言聖人不可與戲也。《墨子·天志篇》曰：「今人處若家得罪，將猶有異家，所以避逃之者矣。今人處若國得罪，將猶有異國，所以避逃之者矣。」「所以」，可以也。《莊子·知北遊篇》曰：「人倫雖難，所以相齒。」言可以相齒也。《鹽鐵論·未通篇》曰：「民不足於糟糠，何橘柚之所厭？」言何橘柚之可厭也。《史記·淮陰侯傳》曰：「非信無所與計事者。」言無可與計事者也。《漢書》「所」作「可」，是其證矣。「所」與「可」同義，故或謂「可」爲「所」，或謂「所」爲「可」。互見「可」字下。

所，猶「若」也，「或」也。《書·牧誓》曰：「爾所弗勖，其于爾躬有戮！」言爾若弗勖也。《史記·周本紀》集解引鄭注曰：「所，言且也。」義亦相近。《詩·牆有茨》曰：「所可道也，言之醜也。」言若可道也。僖二十四年《左傳》曰：「所不與舅氏同心者，有如白水。」言若不與舅氏同心也。《論語·雍也篇》曰：「予所否者，天厭之，天厭之！」言予若否也。又宣十年《左傳》曰：「所有玉帛之使者則告，不然則否。」言若有玉帛之使也。《孟子·離婁篇》曰：「上無道揆也，下無法守也，朝不信道，工不信度，君子犯義，小人犯刑，國之所存者幸也。」言國之或存者幸也。

所，語助也。《書·無逸》曰：「烏呼，君子所其無逸。」言君子其毋逸也。君子，謂人君也。所，語助耳。鄭注：「君子，謂在官長者。所，猶處也。」皆失之。《禮記·檀弓》曰：「君之臣免於罪，則有先人之敝廬在。君無所辱命。」言君毋辱命也。鄭注：「無所辱命，辭不受也。」則「所」乃語助，猶言君毋辱命耳。成二年《左傳》曰：「能進不能退，君無所辱命。」義與此同。襄二十七年《公羊傳》曰：「無所用盟，請使公子鱄約之。」言毋用盟也。何注：「無用爲盟。」昭二十五年《傳》曰：「君無所辱大禮。」言君毋辱大禮也。

矧

《爾雅》曰：「矧，況也。」常語。

矧，猶「亦」也。《書·康誥》曰：「元惡大憝，矧惟不孝不友。」言元惡大憝者，亦惟此不孝不友之人。又曰：「不率大戛，矧惟外庶子訓人，惟厥正人，越小臣諸節，乃别播敷，造民大譽，弗念弗庸，瘝厥君。」言不率大戛者，亦惟此瘝厥君之人。下云「亦惟君惟長」，文義正相近也。《君奭》曰：「百姓王人，罔不秉德明恤，小臣屏侯甸，矧咸奔走。」言亦咸奔走也。

矧，猶「又」也。《大誥》曰：「寧王惟卜用，克綏受茲命。今天其相民，矧亦惟卜用。」言又亦惟卜用也。《酒誥》曰：「女劼毖殷獻臣，侯、甸、男、衛，矧大史友、内史友，越獻臣、百宗工，矧惟爾事，服休服采，矧惟若疇，圻父薄違、農父若保、宏父定辟：矧女剛制于酒。」「矧惟」，又惟也。下云「又惟殷之迪諸臣惟工」是也。《召誥》曰：「今沖子嗣，則無遺壽耇，曰其稽我古人之德，矧曰其有能稽謀自天。」言既曰稽古人之德，又曰稽謀自天也。以上二條，皆非「況」之一訓所能該也。

爽

爽，發聲也。《書·康誥》曰：「爽惟民，迪吉康。」又曰：「爽惟天其罰殛我。」皆是也。某氏傳訓「爽」爲「明」，則義不可通。凡《書》言「洪惟」、「爽惟」、「丕惟」、「誕惟」、「迪惟」、「率惟」，皆詞也。解者皆失之。

庶

《論語·先進篇》曰：「回也其庶乎！」《易·繫辭傳》曰：「顔氏之子，其殆庶幾乎！」《詩·兔爰》正義引《易説》曰：「庶，幸也。幾，覬也。」《爾雅》曰：「庶，幸也。庶幾，尚也。」常語也。

尚　上

《説文》曰：「尚，庶幾也。」字亦作「上」。《詩·陟岵篇》「上慎旃哉」，《漢石經》作「尚」。

《詩·小弁》箋曰：「尚，猶也。」常語。

《説文》曰：「尚，曾也。」又曰：「曾，詞之舒也。」

逝　噬

逝，發聲也。字或作「噬」。《詩·日月》曰：「乃如之人兮，逝不古處。」言不古處也。《碩鼠》曰：「逝將去女，適彼樂土。」言將去女也。《有杕之杜》曰：「彼君子兮，噬肯適我。」言肯適我也。《桑柔》曰：「誰能執熱，逝不以濯。」言不以濯也。「逝」皆發聲，不爲義也。傳、箋或訓爲「逮」，或訓爲「往」，或訓爲「去」，皆於義未安。

率

率，用也。《詩·思文》曰：「貽我來牟，帝命率育。」毛傳曰：「率，用也。」正義曰：「《釋詁》云：率、由，自也。『由』、『自』俱訓爲『用』，故『率』爲『用』也。」案：「帝命率育」，謂天命用此來牟養萬民也。箋曰：「率，循也。天命以是循存后稷養天下之功。」失之。家大人曰：《書・堯典》曰：「蠻夷率服。」率，用也。言爲政如此，則蠻夷用服也。某氏傳曰：「相率而來服。」失之。又曰：「於予擊石拊石，百獸率舞。」率，用也。百獸用舞，猶上文言神人以和耳。又《皋陶謨》曰：「於予擊石拊石，百獸率舞，庶尹允諧。」下二句相對爲文。率與允，皆用也。説見「允」字下。鄭注曰：「百獸相率而舞，衆正之官信得其諧和。」皆失之。鄭注見《周官・大司樂》疏。《盤庚》曰：「率籲衆戚，出矢言。」率，用也。籲，呼也。戚，貴戚也。矢，誓也。言民不肯遷，盤庚用呼衆貴戚之臣，出誓言以曉喻之也。「誓言」，猶誥言也。《爾雅》：「誥，誓，謹也。」郭注曰：「皆所以約敕謹戒衆。」是也。某氏傳曰：「籲，和也。率和衆憂之人，出正直之言。」皆非是。《尚書後案》已辯之。《多士》曰：「予惟率肆矜爾。」率，用也。肆，緩也。言予惟用肆赦矜憐爾也。《君奭》曰：「予惟用閔于天越民。」句法與此相似。傳曰：「我惟循殷故事憐愍汝。」失之。辯見《經義述聞》。《吕刑》曰：「故乃明于刑之中，率乂于民棐彝。」率，用也。言能明于刑之中正，用治于民，輔成常教也。傳曰：「循道以治於民。」失之。《詩・載見》曰：「率見昭考，以孝以享。」亦謂用見昭考也。「載見辟王」、「率見昭考」，皆指諸侯言之。箋曰：「伯率之見於武王廟。」增「伯」字以成其義，失之。

家大人曰：率，語助也。《文選・江賦》注引《韓詩章句》曰：「聿，辭也。」「聿」與「率」聲近而義同。《書・湯誓》曰：「夏王率遏衆力，率割夏邑，有衆率怠弗協。」馬注：「衆民相率怠墮不和同。」失之。見《史記·殷本紀》集解。《君奭》曰：「率惟茲有陳，保乂有殷。」陳，道也。言惟茲有道諸臣，能保乂有殷也。率，語助耳。王肅注曰：「循此數臣有陳列之功。」失之。辯見《經義述聞》「我祖底遂陳于上」下。《立政》曰：「亦越武王，率惟敉功，不敢替厥義德，率惟謀從容德。」案：敉，安也。功，事也。言武王惟安其故事，不敢廢文王之義德，又惟謀從寬容之德也。兩「率」字皆語助。某氏傳曰：「武王循惟文王撫安天下之功。」「循惟謀從文王寬容之德。」皆失之。《逸周書·祭公篇》曰：「俾百僚乃心率輔弼予一人。」孔晁注：「使百官相率輔弼我。」失之。以上諸「率」字，皆語助耳。解者皆失之。

式

式，語詞之「用」也。《詩·斯干》曰「式相好矣」是也。常語也。

式，發聲也。《爾雅》曰：「式微式微者，微乎微者也。」《詩·式微》箋用《爾雅》云：「式，發聲也。」

經傳釋詞弟十

彼

彼，匪也。《詩·桑扈》曰「彼交匪敖」，襄二十七年《左傳》説此詩曰：「匪交匪敖，福將焉往？」成十四年引詩「彼交匪傲」，《漢書·五行志》作「匪徼匪傲」。《采菽》曰「彼交匪紓」，《荀子·勸學篇》引作「匪交匪舒」。是「彼」訓「匪」也。「交」讀爲「姣」。姣，侮也。匪交匪敖、匪交匪紓，皆謂不侮慢也。説者以「彼」爲「彼此」之「彼」，「交」爲「交接」之「交」，失之。辯見《經義述聞》。

末

末，無也。常語。

末，猶「未」也。《檀弓》曰：「魯莊公及宋人戰于乘丘，縣賁父御，卜國爲右。馬驚，敗績。公隊，佐車授綏。公曰：『末之卜也。』」末，猶「未」也。之，是也，指御而言。言倉卒出戰，末卜戎御，故不得其人，以致亶駕。蓋以罪縣賁父也。

末，猶「勿」也。《禮記·文王世子》曰：「命膳宰曰：末有原。」鄭注曰：「末，猶勿也。勿有所再進。」

末，發聲也。哀十四年《公羊傳》曰：「其諸君子樂道堯、舜之道與？末不亦樂乎堯舜之知君子也？」末，蓋發聲。「末不亦」，不亦也。也，猶「邪」也。言不亦樂乎後世堯舜之知君子邪？下文「制《春秋》之義，以俟後聖，以君子之爲，亦有樂乎此也」，正申明此句之意。

蔑

蔑，無也。常語。

蔑，猶「不」也。成十六年《左傳》曰：「寧事齊、楚，有亡而已。蔑從晉矣。」《晉語》曰：「吾有死而已，吾蔑從之矣。」言不從也。

比

比，皆也。《説文》曰：「皆，俱詞也。從比從白。」徐鍇曰：「比，皆也。」《孟子·告子篇》

曰：「比天之所與我者，先立乎其大者，則其小者不能奪也。」家大人曰：比，猶「皆」也。言耳目與心，皆天之所與我者，而心爲大。趙注以「比」爲「比方」，謂比方天所與人性情，失之。或改「比」爲「此」，改趙注「比方」爲「此乃」，尤非。《秦策》曰「頓足徒裼，犯白刃，蹈煨炭，斷死於前者，比是也」，鮑彪於「比」下增一「比」字，曰：「比，次也。言如此者相次不一。」非是。《韓子・初見秦篇》「比」作「皆」。《齊策》曰：「中山再戰比勝。」言再戰皆勝也。《大戴禮・保傅篇》曰「於是比選天下端士」，《漢書・賈誼傳》「比」作「皆」。

薄

薄，發聲也。《詩・葛覃》曰：「薄汙我私，薄澣我衣。」又《芣苢》曰：「薄言采之。」傳曰：「薄，辭也。」《時邁》曰：「薄言震之。」《韓詩》薛君《傳》與毛《傳》同。《後漢書・李固傳》注引。

每

每，雖也。《爾雅》曰：「每有，雖也。」《詩・常棣》曰：「每有良朋，況也永歎。」又曰：「雖有兄弟，不如友生。」「每有」，猶「雖有」耳。箋曰：「雖有善同門來兹，對之長歎而已。」

不 丕 否

不，弗也。常語。

《玉篇》曰：「不，詞也。」經傳所用，或作「丕」，或作「否」，其實一也。有發聲者，有承上文者。其發聲者，《書·西伯戡黎》曰：「我生不有命在天！」某氏傳曰：「我生有壽命在天。」蓋「不」爲發聲，「不有」，有也，與他處「不」訓爲「弗」者不同。「不有命在天」下，不須加「乎」字以足之。《史記·殷本紀》云：「我生不有命在天乎？」失之矣。《康誥》曰：「惟乃丕顯考文王。」「丕顯考」，顯考也。通作「不顯」。《毛詩》曰：「不顯，顯也。」則上一字乃發聲，箋解爲「豈不顯」，失其意矣。《酒誥》曰：「丕惟曰爾克永觀省。」此與「丕」訓爲「大」者不同。解者多失之，下倣此。又曰：「女丕遠惟商耇成人，宅心知訓。」《召誥》曰：「其丕能諴于小民。」丕，語詞。「其丕能」，其能也。《顧命》曰：「其能而亂四方。」又曰：「丕若有夏歷年。」《洛誥》曰：「公稱丕顯德。」「丕顯德」，顯德也。丕，語詞。《多士》曰：「丕靈承帝事。」丕，語詞。「丕靈承」，靈承也。《多方》曰：「不克靈承于旅。」又曰：「靈承于旅。」《君奭》曰：「丕單稱德。」又曰：「丕承無疆之恤。」《多方》曰：「罔丕惟進之恭。」又曰：「爾尚不忌于凶德。」不，語詞。「不忌」，忌也。《緇衣》鄭注曰：「忌之言戒也。」言以凶德爲戒也。傳解爲「不自忌入於凶德」，失之。《文侯之命》曰：「丕顯文、武。」《緇衣》引《甫刑》曰：「播刑之不迪。」不，語詞。「不迪」，迪也。故《古文尚書》作「播刑之迪」。鄭以「不」爲衍文，失之。《孟子·滕文公》引《書》曰：「丕顯哉，文王謨。丕承哉，武王烈。」顯哉，承哉，讚美之詞。丕，則發聲也。字通作「不」。《詩·清廟》曰：「不顯不承。」傳云：「顯於天矣，見承於人矣。」則「不」爲發聲可知。箋乃云：「是不光明文王之德與？是不承順文王志意與？」失其意矣。「丕顯」、「丕承」，即「不顯不承」。趙注訓「丕」爲「大」亦失之。《逸周書·大匡》曰：「二三子不尚助不穀。」下「不」字訓爲「弗」，上「不」字則語詞。孔晁注云：「不尚，尚也。」《皇門》曰：「丕承萬子孫。」《祭公》曰：「公稱丕顯之德。」又曰：「我不則寅哉寅哉。」孔注云：「不則，言則也。」《芮良夫》曰：「不其亂而。」《詩·匏有苦葉》曰：「濟盈不濡軌。」傳云：「濡，漬也。由輈以下爲軌。」又解「雉鳴求其牡」云：「違禮義不由其道，猶雉鳴而求其牡矣。飛曰雌雄，走曰牝牡。」箋云：「渡深水者，必濡其軌。言不濡者，喻夫人犯禮而不自知。雉鳴反求其牡，喻夫人所求非所求。」案：軌，車轊頭也。去地三尺有三寸。濟盈無不濡軌之理。不，蓋語詞。「不濡」，濡也。言濟盈則濡軌，此理之常也。而違犯禮義者，何反其常乎？牡，猶雄也。正義曰：「飛曰雌雄，走曰牝牡。」此其定例耳，若散則通。故《書》曰：「牝雞之晨。」傳曰：「獲其雄狐。」是也。據此，則雌雄亦得稱牝牡，「雉鳴求其牡」者，謂求其雄也。言鳥獸所求，必於其耦。何夫人之所求，非其耦乎？牡即雉之雄者，故曰其牡。若屬之走獸，不得言「其」矣。傳、箋失之。《常棣》曰：「鄂不韡韡。」傳云：「鄂，猶鄂鄂然，言外發也。韡韡，光明也。」則「不」字乃語詞。「鄂不韡韡」，猶言夭之沃沃耳。箋云：「承華者曰鄂。不，當爲柎。柎，鄂足。鄂足得華之光明，則韡韡然盛。古聲『不』、『柎』同。」案：詩詠草木之華，皆直美其華之色，無以鄂足言之者。且韡韡光明，華色則然。鄂足隱在華下，安所見其韡韡哉？鄭亦知鄂足不得言韡韡，乃爲之説云：「鄂足得華之光明，則韡韡然盛。」迂回而難通矣。王肅述毛云：「不韡韡，言韡韡也。以興兄弟能内睦外禦，則彊盛而有光燿，若常棣之華髮也。」斯言得之。《車攻》曰：「徒御不警，大庖不盈。」傳云：「不警，警也。不盈，盈也。」則「不」爲語詞，與訓「弗」者不同，不必增字以足之，解爲「豈不警乎」、「豈不盈乎」也。箋謂反其言美之，失其意矣。《何人斯》曰：「否難知也。」否，語詞。「否難知」，難知也。言其心孔艱，不可測也。箋乃云：「否，不通也。我與汝情不通，汝與於譖我與否，復難知也。」失之。《桑扈》曰：「不戢不難，受福不那。」傳云：「戢，聚也。不戢，戢也。不難，難也。那，多也。不多，多也。」則「不」爲語詞。箋乃云：「不自斂以先王之法，不自難以亡國之戒，則其受福禄亦不多也。」失之。《菀柳》曰：「有菀者柳，不尚息焉。」箋云：「有菀然枝葉茂盛之柳，行路之人，豈有不庶幾欲就之止息乎？」案：不，語詞。「不尚」，尚也。是正言，非反言。故句末用「焉」字。「有菀者柳，不尚愒焉。」《文王》曰：「有周不顯，帝命不時。」傳云：「有周，周也。不顯，顯也。不時，時也。」則「不」爲語詞，猶「有」爲語詞也。箋乃云：「周之德不光明乎？」「天命之不是乎？」失之。此「不」字與訓「弗」者不同，不必增「乎」字以足其義也。又曰：「不顯亦世。」此「不」字亦語詞，傳解爲「不世顯德乎」，失之。「世之不顯。」不，語詞。「世之不顯」，世之顯也。若作「不顯乎」解，則與「之」字文義不相承矣，以是明之。又曰：「其麗不億。」不，語詞。「不億」，億也。「商之孫子，其麗不億」，猶曰「子孫千億」耳。箋以爲「不徒億」失之。趙岐《孟子注》誤與箋同。《大明》曰：「不顯其光。」傳曰：「然後可以顯其光輝。」則

「不」爲語詞可知。箋解爲「不明乎」失之。《思齊》曰：「不顯亦臨。」傳云：「以顯臨之。」則「不」爲語詞。箋乃云：「有賢才之質而不明者，亦得觀於禮。」或又解爲幽隱之處。此皆誤以「不」爲「弗」，故説之多歧。不知「不顯」之「不」語詞，與他處訓爲「弗」者不同也。又案：「亦」字，語詞。與「亦既見止」、「亦泛其流」之「亦」同。非謂顯固臨，不顯亦臨也。例以下句之「無射亦保」、《文王》之「不顯亦世」而文義自明。又曰：「肆戎疾不殄，烈假不瑕。」傳云：「大疾害人者，不絶之而自絶也。烈，業。假，大也。」箋云：「厲、假，皆病也。瑕，已也。大疾害人者，不絶之而自絶。爲厲假之行者，不已之而自已。」案：不，語詞。「不殄」，殄也。「不瑕」，瑕也。言大疾則絶矣，厲假之病則已矣。漢《唐公房碑》云：「癘蠱不遐，去其螟蜮，斯德祐之效也。」然則「癘假」當作「癘蠱」。「瑕」與「遐」同。戎疾之絶，癘蠱之已，皆鬼神保祐也。不殄不瑕，文義已足。不必迂回其説，而云不絶之而自絶，不已之而自已也。「不聞亦式，不諫亦入。」傳云：「言性與天合也。」正義云：「毛以爲言文王之聖德自生知，無假學習。不聞人之道説，亦自合於法。不待臣之諫諍，亦自入於道。」案：不，語詞。「不聞」，聞也。「不諫」，諫也。式，用也。入，納也。言聞善言則用之，進諫則納之。宣二年《左傳》曰：「諫而不入，則莫之繼也。」是納諫爲入也。傳説失之。箋又云：「有仁義之行而不聞達者，亦用之助祭，有孝悌之行而不能諫争者，亦得入。」其説尤疏。「亦」字亦語詞。豈謂聞固式，不聞亦式，諫固入，不諫亦入邪？《下武》曰：「不遐有佐。」傳云：「遠夷來佐。」則「不」爲語詞。《生民》曰：「上帝不寧，不康禋祀。」傳曰：「不寧，寧也。不康，康也。」則「不」爲語詞。箋乃云：「心猶不安之。又不安，徒以禋祀而無人道。」失之。《卷阿》曰：「矢詩不多。」傳云：「不多，多也。」《抑》曰：「萬民是不承。」今本作「萬民靡不承」。釋文：「靡不承，一本靡作是。」案：作「是」者，是也。箋云：「天下之民，不承順之乎？」言承順也，不爲「靡」字作解，則一本爲長。不，語詞。

「不承」，承也。《爾雅》云：「是，則也。」萬民是不承，言萬民則承順之矣。不須加「乎」字以足其義。《崧高》曰：「不顯申伯。」傳云：「不顯申伯，顯矣申伯也。」則「不」爲語詞。正義謂「豈不光顯申伯乎」，失之。《韓奕》曰：「不顯其光。」與《大明》「不顯其光」同。正義云：「可謂不顯其禮之有光榮乎？」失之。《召旻》曰：「維昔之富，不如時。維今之疚，不如兹。」家大人云：不，語詞。「不如時」，如是也。「不如兹」，如此也。疚，貧也。《釋文》云：「疚字或作宊。」《説文》：「宊，貧病也。」《廣雅》：「宊，貧也。」「宊」與「富」相對爲文。言昔也，賢人食禄，其富如是。今也，賢人失所，其貧如此也。變「貧」言「疚」以與「富」爲韻耳。傳解「維昔之富不如時」云：「往者，富仁賢；今也，富讒佞。」解「維今之疚不如兹」云：「今則病賢也。」箋云：「時，今時也。兹，此也。此者，此古昔明王。」蓋皆訓「不」爲「弗」，失之矣。又曰：「池之竭矣，不云自頻。泉之竭矣，不云自中。」箋云：「池水之溢由外灌焉。今池竭，人不云由外無益者與？言由之也。」案：不，語詞。「不云自頻」，云自頻也。「不云自中」，云自中也。又曰：「不烖我躬。」箋云：「是不烖王之身乎？」案：不，語詞。「不烖」，烖也。《清廟》曰：「不顯不承。」説見上。《維天之命》曰：「於乎不顯。」《烈文》曰：「不顯維德。」不，發聲。箋解爲「不勤明其德乎」，之。《執競》曰：「不顯成康。」「不顯成康」、「於穆清廟」、「伊嘏文王」詞皆在上。傳解爲「不顯乎」失之。《那》曰：「亦不夷懌。」箋云：「亦不説懌乎？言説懌也。」案：不，語詞，不須加「乎」字以釋之。《禮記・射義》曰：「幼壯孝弟，耆耋好禮，不從流俗，脩身以俟死者，不在此位也。」「不從」之「不」訓爲「弗」，「不在」之「不」爲語詞。「不在」，在也。鄭斷「者不」爲句，云：「有此行不？」失之。《日知録》謂「幼」上當有「非」字，以語急而省之，尤非。又曰：「好學不倦，好禮不變，旄期稱道不亂者，不在此位也。」「不倦」、「不變」、「不亂」之「不」訓爲「弗」，「不在」之「不」爲語詞。僖二十八年《左傳》曰：「奉揚天子之丕顯休命。」丕，語詞。「丕顯休命」，顯休命也。《多方》曰：「降顯休命于成湯。」宣四年曰：「若敖氏之鬼，不其餒而。」襄二十九年曰：「先君若有知也，不尚取之。」正義引服虔云：「不尚，尚也。尚當取女叔侯殺之。」昭三年曰：「昧旦丕顯。」丕，語詞。「丕顯」，顯也。言昧旦時即已光明其德。杜注訓「丕」爲「大」，失之。《晉語》曰：「夫晉公子在此，君之匹也，君不亦禮焉。」「不亦」，亦也。僖二十五年《左傳》「君其禮焉」，文義與此同。《爾雅・釋器》曰：「不律謂之筆。」「律」、「筆」聲近而語轉，「不」則發聲也。《釋丘》曰：「夷上洒下，不漘。」郭注曰：「不，發聲。」孫炎以爲衍字，失之。《釋魚》曰：「龜左倪不類，右倪不若。」邢疏曰：「不，發聲也。」《周禮》：「西龜曰靁屬，北龜曰若屬。」是也。案：「不」爲發聲，故亦可省之而稱「靁」稱「若」。《孟子・公孫丑篇》曰：「雖褐寬博，吾不惴焉。」不，語詞。「不惴」，惴也。言雖被褐之夫，吾懼之。趙注謂「雖敵人被褐寬博一夫，不當輕驚懼之」，疏矣。《楚詞・招魂》曰：「被文服纖，麗而不奇些。」王注云：「不奇，奇也。猶《詩》云『不顯文王』，『不顯』，顯也。言其容靡麗，誠足奇怪也。」《東周策》曰：「今君將施於大人，大人輕君。施於小人，小人無可以求，又費財焉。君必施於今之窮士，不必且爲大人者，故能得欲矣。」「不必」，必也。不，語詞。鮑彪注曰：「不必猶不可。」失之。《秦策》曰：「楚國不尚全事。」高注曰：「不尚，尚也。」《史記・楚世家》作「吾國尚可全」，明「不」爲語詞。皆發聲也。其承上文者，《書・禹貢》曰：「三危既宅，三苗丕敘。」丕，乃承上之詞，猶言三苗乃敘也。諸家皆誤訓

「丕」爲「大」。下倣此。《盤庚》曰：「王播告之修，不匿厥指，此「不」字訓爲「弗」下「不生生」同。王用丕欽，罔有逸言，民用丕變。」又曰：「女克黜乃心，施實德于民，至于婚友，丕乃敢大言，女有積德。」丕乃，猶言「於是」也。傳解爲「大乃敢言」，則文不成義。又曰：「女萬民乃不生生，暨予一人猷同心。先后丕降與女罪疾。」猶言乃降與女罪疾。又曰：「茲予有亂政同位，具乃貝玉，乃祖乃父，丕乃告我高后。」又曰：「迪高后，丕乃崇降弗祥。」《康誥》曰：「至于旬時，丕蔽要囚。」《小司寇》曰：「至於旬，乃蔽之。」文義正同。又曰：「無作怨，勿用非謀非彝，蔽時忱，丕則敏德。」「丕則」，猶言「於是」也。既斷行是誠信之道，於是勉行德教也。傳解爲「大法敏德」，失之。《梓材》曰：「后式典集，庶邦丕享。」言君能和集庶邦，於是庶邦來享也。《召誥》曰：「厥既命殷庶，庶殷丕作。」言既命庶殷，庶殷乃作也。《無逸》曰：「乃逸，乃諺，既誕，否則侮厥父母。」漢石經「否」作「不」。「不則」，猶「於是」也。言既已妄誕，於是輕侮其父母也。傳謂「已欺誕父母，不欺，則輕侮其父母」文義難通。又曰：「今日耽樂，乃非民攸訓，非天攸若，時人丕則有愆。」言是人於是有過也。傳謂「是人則大有過」。既誤訓「大」，又亂其字之先後矣。又曰：「乃變亂先王之正刑，至于小大，民否則厥心違怨，否則厥口詛祝。」言民於是厥心違怨，於是厥口詛祝也。《立政》曰：「我其立政，立事，準人，牧夫，我其克灼知厥若，丕乃俾亂。」言既灼知厥若，於是使治之也。下文「茲乃俾乂」，文義正同。《逸周書·祭公》曰：「天之所錫武王時疆土，丕維周之基，丕維后稷之受命。是永宅之。維我後嗣，旁建宗子。丕維周之始并。烏呼，天子三公，監于夏之既敗，丕則無遺後難。言於是無遺後難也。至于萬億年，守序終之，既畢，丕乃有利宗，言於是有利宗也。丕維文王由之。」皆承上之詞也。凡此，皆古人屬詞之常例。後世解經者，但知「不」之訓「弗」，「否」之訓「不」，「丕」之訓「大」，而不知其又爲語詞，於是强爲注釋，而經文多不可通矣。「三危既宅，三苗丕敘。」「厥既命殷庶，庶殷丕作。」「既誕，否則侮厥父母。」皆先言「既」而後言「丕」，其爲承上之詞，顯然明白。而《史記·夏本紀》乃云：「三苗大敘。」則知三代語言，漢人猶難偏識，願學者比物醜類以求之。

不，否，非也。《吕刑》曰「何擇非人，何敬非刑，何度非及」，《墨子·尚賢篇》引作「女何擇否人，今本「否」誤作「言」，蓋篆書「否」字作「[篆文否]」，「言」字作「[篆文言]」，二形相似。隸書「否」字或作「[否]」，「言」字或作「音」，亦相似。故「否」誤作「言」。何敬不刑，何度不及。」《尚同篇》曰：「先王之書，相年之道曰：夫建國設都，乃作后王君公，否用泰也。輕大夫師長，否用佚也。維辯使治天均。則此語古者上帝鬼神之建設國都，立正長也，非高其爵，厚其祿，富貴游佚而錯之也，將以爲萬民興利除害，富貴貧寡，安危治亂也。」是「不」也，「否」也，皆「非」也。故「非敢」謂之「不敢」。《士相見禮》：「主人對曰：某不敢爲儀。」今文「不」爲「非」是也。「苟非」謂之「苟不」。《中庸》曰：「苟不至德，至道不凝焉。」正義曰：「不，非也。」又曰：「苟不固聰明聖知達天德者，其孰能知之？」是也。「豈非」謂之「豈不」。《莊子·讓王篇》：「先生不受，豈不命邪？」《荀子・君道篇》：「是豈不必得之之道也哉？」是也。「不」與「非」同義，故有時互用。《大戴禮・王言篇》：「畢弋田獵之得，不以盈宮室也。徵斂於百姓，非以充府庫也。」《墨子・非命篇》：「上之所賞，命固且賞，非賢故賞也。上之所罰，命固且罰，不暴故罰也。」「不」亦「非」也。

不，否，無也。《堯典》曰：「否德忝帝位。」言無德也。傳曰：「否，不也。」不，亦「無」也。《王風・君子于役》曰：「不日不月。」言無一定之日月，序所謂「行役無期度」也。《周官・大司馬》曰：「若師不功，則厭而奉主車。」言師無功也。與上「若師有功」相對爲文。《大學》曰：「其本亂而末治者否矣。」言事所必無也。下文「其所厚者薄，而其所薄者厚，未之有也」，與此文異而義同。莊十四年《左傳》曰：「人無釁焉，妖不自作。」自，由也。言妖無由作也。正義曰：「妖孽不能自作。」失之。《晉語》曰：「不本而犯。」言無本也。「無本」，謂言不本於皃，皃不本於情。即上文所謂「中不濟而外强之，外内類而言反之」也。韋注謂「行不本仁義」，失之。《論語・先進篇》曰：「人不閒於其父母昆弟之言。」言人無有非其父母昆弟之言也。說見《經義述聞》。故《洪範》「無偏無黨」、「無黨無偏」，《史記・張釋之馮唐傳贊》引作「不偏不黨」、「不黨不偏」。《呂刑》「鰥寡無蓋」，《墨子・尚賢篇》引作「鰥寡不蓋」。《秦策》「一戰不勝而無齊」，《韓子・初見秦篇》作「不齊」。

不，毋也，勿也。《大雅・板》曰「無敢戲豫，無敢馳驅」，昭三十二年《左傳》引作「不敢戲豫，不敢馳驅」。「無」與「毋」通。「不」亦「毋」也。《召誥》曰：「王不敢後，用顧畏于民碞。」言王顧畏民碞，毋敢或後也。《孟子·滕文公篇》：「我且往見，夷子不來。」言我將往見夷子，夷子勿來也。

非

《玉篇》曰：「非，不是也。」常語。

服虔《漢書·蕭望之傳》注曰：「非，不也。」《書·盤庚》曰：「肆予沖人，非廢厥謀。」言不廢厥謀也。又曰：「各非敢違卜。」某氏傳曰：「君臣用謀，不敢違卜也。」《大戴禮記·保傅篇》「人性非甚相遠也」，《漢書·賈誼傳》「非」作「不」。

匪

《詩·木瓜傳》曰：「匪，非也。」常語。

匪，不也。《詩·殷武》曰：「稼穡匪解。」言不懈也。《車舝》曰：「匪飢匪渴。」箋曰：「雖飢不飢，雖渴不渴。」《周語》引《頌》曰：「莫匪爾極。」韋注曰：「匪，不也。無不於女時得其中也。」

《廣雅》曰：「匪，彼也。」家大人曰：《詩・小旻》曰：「如匪行邁謀，是用不得于道。」襄八年《左傳》引此《詩》，杜注曰：「匪，彼也。」「如匪行邁謀，是用不得于道」，猶下文言「如彼築室于道謀，是用不潰于成」。亦猶《雨無正》曰「如彼行邁」也。箋曰：「匪，非也。不行而坐圖遠近。」失之。又《定之方中》曰：「匪直也人，傳曰：「匪徒庸君。」訓「匪直」爲「匪徒」，訓「人」爲「庸君」，皆失之。秉心塞淵。」言彼正直之人，秉心塞淵也。《匪風》曰：「匪風發兮，匪車偈兮。」言彼風之動發發然，彼車之驅偈偈然也。傳曰：「發發飄風，非有道之風。偈偈疾驅，非有道之車。」《漢書・王吉傳》吉引《詩》説曰：「是非古之風也，發發者。是非古之車也，偈偈者。」皆失之。《都人士》曰：「匪伊垂之，帶則有餘。匪伊卷之，髮則有旟。」言彼帶之垂則有餘，彼髮之卷則有旟。猶上文言「彼都人士，垂帶而厲。彼君子女，卷髮如蠆」也。箋曰：「言士非故垂此帶也，帶於禮自當有餘也。女非故卷此髮也，髮於禮自當有旟也。」失之。解者訓「匪」爲「非」，故多不安。

無　毋　亡　忘　妄

無，毋，勿也。常語。

孟康注《漢書・貨殖傳》曰：「無，發聲助也。」字或作「毋」。《詩・文王》曰：「無念爾祖。」傳曰：「無念，念也。」《抑》曰：「無競維人。」《執競》曰：「無競維烈。」傳竝曰：「無競，競也。」箋解《抑篇》曰：「無彊於得賢人。」解《烈文》曰：「無彊乎維得賢人也。」解《執競》及《武篇》曰：「無彊乎其克商之功業。」皆誤以爲「有無」之「無」。 隱十一年《左傳》：「無寧茲許公復奉其社稷。」襄二十四年：「無寧使人謂子，子實生我。」杜注竝曰：「無寧，寧也。」襄二十九年：「且先君而有知也，毋寧夫人，而焉用老臣？」服虔注曰：「毋寧，寧也。 寧自取夫人，將焉用老臣乎？」《魯語》曰：「彼無亦置其同類。」韋注曰：「無亦，亦也。」《周語》曰：「無亦擇其柔嘉。」「無亦」，亦也。 韋注曰：「無亦，不亦也。」失之。 下《晉語》同。 又曰：「王無亦鑒于黎、苗之王。」《晉語》曰：「公子無亦晉之柔嘉，是以甘食。」《楚語》曰：「女無亦謂我老耄而舍我，而又謗我。」「無亦」，亦也。 舍，謂不諫戒也。言我老矣，女亦謂我老而舍我可也，奈何又謗我邪？是自謂其老，不欲人之見而諫戒之也。 故《左史》曰：「唯子老耄，故欲見以交儆子。」又引衛武公之言曰：「無謂我老耄而舍我。」辯見《經義述聞》。 成二年《左傳》曰：「無亦唯是一矢以相加遺。」襄二十四年曰：「無亦是務乎？」昭二十三年曰：「無亦鑒乎若敖、蚡冒至于武文。」竝同。 是「無」爲發聲也。 又《書·微子》曰：「今爾無指告，予顛隮，若之何其？」某氏傳曰：「汝無指意，告我殷邦顛隕隮墜，若之何其救之？」案：「今爾無指告」當爲一句。 無，發聲。 無指告，指告也。「指」讀曰「底」。 底，致也。 襄九年《左傳》曰：「無所底告。」《盤庚》曰：「其惟致告。」是也。 言我殷將顛墜，若何而可？今爾其致告我以救之之道乎？倒文則曰「今爾無指告，予顛隮，若之何其」耳。 作《傳》者不知「無」爲發聲，「指告」爲「底告」，故文義乖而句讀亦舛也。 說詳《經義述聞》。 《詩·小旻》曰：「如彼泉流，無淪胥以敗。」《抑》曰：

「如彼泉流，無淪胥以亡。」無，發聲。「無淪胥以敗」，淪胥以敗也。言周德日衰，如泉水之流，滔滔不返，無論智愚賢否，將相率而底於敗亡也。「無淪胥以亡」，淪胥以亡也。言皇天弗尚，禍亂日生，如泉水之流，滔滔不返，周之君臣，將相率而底於敗亡也。《雨無正》曰：「若此無罪，淪胥以鋪。」語意正相近。箋解《小旻》則曰：「無相牽率爲惡以自濁敗。」解《抑篇》則曰：「無自率行爲惡，皆與之以亡。」俱誤以「無」爲戒詞。《禮記・祭義》曰：「天之所生，地之所養，無人爲大。」「無人爲大」，人爲大也。《大戴禮記・曾子大孝篇》：「天之所生，地之所養，人爲大矣。」則「無」爲發聲可知。正義曰：「天地所養萬物之中，無如人最爲大。」失之。昭二十六年《左傳》曰：「我無所監夏后及商。」杜注曰：「言追監夏、商之亡。」是「無」爲發聲。《管子・立政・九敗解篇》曰：「人君唯毋聽寢兵，毋，發聲。「毋聽」，聽也。下「無好」同。則羣臣賓客，莫敢言兵。人君唯毋聽兼愛之說，則視天下之民如其民，視國如吾國。人君唯無好全生，則羣臣皆全其生而生又養。「又」與「有」同。人君唯無聽私議自貴，則民退靜隱伏，窟穴就山，非世閒上，輕爵祿而賤有司。人君唯無好金玉貨財，必欲得其所好，則必易之以大官尊位，尊爵重祿。人君唯毋聽羣徒比周，則羣臣朋黨，蔽美揚惡。人君唯毋聽觀樂玩好，則敗。人君唯毋聽請謁任譽，則羣臣皆相爲請。人君唯無聽諂諛飾過之言，則敗。」《墨子・尚賢篇》曰：「古者聖王唯毋得賢人而使之，般爵以貴之，裂地以封之，終身不厭。賢人唯毋得明君而事之，竭四肢之力以任君之事，終身不倦。」又曰：「今唯毋以尚賢爲政，其國家百姓，使國之爲善者勸，爲暴者沮。」又曰：「然昔吾所以貴堯、舜、禹、湯、文、武之道者，何故以哉？以其唯毋臨衆發政而治民，使天下之爲善者可而勸也，爲暴者可而沮也。」毋，發聲。「毋得」，得也。「毋以」，以也。「毋臨衆發政」，臨衆發政也。下《尚同篇》之「毋立」、「毋以」，《非攻篇》之「毋興起」、「毋廢一時」，《節用篇》之「毋興師」，《節葬篇》之「毋法」、「無以」，《天志篇》之「毋明」，《非樂篇》之「毋造爲」、「毋處」、「毋爲樂」、「毋在乎」竝同。詳《讀書雜志》。以上皆發聲。

無，轉語詞也。字或作「亡」，或作「忘」，或作「妄」，或言「亡其」，或言「意亡」，或言「亡意亦」，或言「將妄」，其義一也。《墨子·非攻篇》曰：「爲其上中天之利，而中中鬼之利，而下中人之利，故譽之與？意亡非爲其上中天之利，而中中鬼之利，而下中人之利，故譽之與？」「意」與「抑」同。「亡」與「無」同。皆詞也。《漢書·貨殖傳》：「寧爵無刁。」孟康注曰：「奴自謂寧欲免去作民有爵邪，無將止爲刁氏作奴乎？」文義與此同。《非命篇》曰：「不識昔也三代之聖善人與？意亡昔三代之暴不肖人與？」《莊子·外物篇》曰：「抑固窶邪？亡其略弗及邪？」郭象注曰：「略無弗及之事也。」既誤以爲「有無」之「無」，又亂其次矣。《呂氏春秋·審爲篇》曰：「君將攫之乎？亡其不與？」《愛類篇》曰：「必得宋乃攻之乎？亡其不得宋且不義，猶攻之乎？」《淮南·脩務篇》「亡」作「忘」。《秦策》曰：「意者臣愚而不闔於王心邪？亡其言臣者將賤而不足聽邪？」今本「亡」訛作「已」，錢本、曾本竝作「亡」，與《史記·范雎傳》合。《索隱》曰：「亡，猶輕蔑也。」失之。《趙策》曰：「不識三國之憎秦而愛懷邪？忘其憎懷而愛秦邪？」「忘」與「亡」同。又曰：「秦之攻趙也，倦而歸乎？亡其力尚能進，愛王而不攻乎？」「亡其」，今本依《史記·虞卿傳》改作「王以其」，錢本、劉本竝作「亡其」，與《新序·善謀篇》合。《韓策》曰：「聽子之謁，而廢子之道乎？又亡其行子之術，而廢子之謁乎？」「又」字後人所加，《韓子·外儲説篇》無「又」字。《史記·魯仲連傳》：「亡意亦捐燕棄世，東游於齊乎？」亡、意、亦皆詞也。「意亦者」，抑亦也。索隱斷「亡意」爲句，注曰：「無還燕意。」失之。《越語》曰：「道固然乎？妄其欺不穀邪？」「妄」與「亡」同，當讀「寧爵無刁」之「無」。鄭注《儒行》曰：「妄之言無也。」《莊子·庚桑楚篇》曰：「是其於辯也？將妄鑿垣牆而殖蓬蒿也？」「將妄」與「將無」同。「也」與「邪」同。郭象注：「將令後世妄行穿鑿而殖穢亂也。」失之。《新序·雜事篇》曰：「先生老惛與？妄爲楚國妖與？」《楚策》作「先生老悖乎？將以爲楚國袄祥乎」，則「妄」爲語助。以上皆轉語詞。

無，猶「得無」也。《士喪禮》筮宅辭曰：「哀子某，爲其父某甫筮宅。度兹幽宅，兆基無有後艱？」鄭注曰：「得無後將有艱難乎？」又卜葬日辭曰：「哀子某，來日卜葬其父某甫，考降，無有近悔？」鄭注曰：「得無近於咎悔者乎？」

無乃，猶「得無」也。宣十二年《公羊傳》注《周語》曰：「其無乃廢先王之訓而王幾頓乎？」隱三年《左傳》曰：「無乃不可乎？」

無寧，猶「無乃」也。家大人曰：昭二十二年《左傳》曰：「無寧以爲宗羞。」言宋若自誅華氏，無乃以爲宗族之羞，不如使楚戮之也。杜注曰：「無寧，寧也。」失之。「寧」訓爲「乃」，見「寧」字條下。

無，不也。薛綜《東京賦》注曰：「無，猶不也。」《書·洪範》「無偏無黨」，《墨子·兼愛篇》《漢書·谷永傳》注竝引作「不偏不黨」。《呂刑》「鰥寡無蓋」，《墨子·尚賢篇》引作「鰥寡不蓋」。《論語·學而篇》「食無求飽，居無求安」，《漢書·谷永傳》引作「居不求安，食不求飽」。《老子》下篇「聖人不積」，《魏策》引作「聖人無積」。《詩·皇矣》「不大聲以色，不長夏以革」，《墨子·天志篇》引作「毋大聲以色，毋長夏以革」。「毋」與「無」通。《禮記·月令》「五穀無實」，《呂氏春秋·孟秋紀》作「五穀不實」。《三年問》「無易之道也」，鄭注曰：「無易，猶不易也。」《荀子·禮論篇》作「不易之術」。又「至死不窮」、「夫焉能相與羣居而不亂乎」，《荀子》作「無窮」、「無亂」。《郊特牲》曰：「昆蟲毋作。」言不作也。《大傳》曰：「可無慎乎？」言不慎也。文十二年《左傳》曰：「國無陋矣。」言不陋也。成二年曰：「無顧土宜。」言不顧土宜也。《論語·雍也篇》：「毋以與爾鄰里鄉黨乎？」「毋」與「無」同。言九百之粟，爾雖不欲，然可分於鄰里鄉黨，爾不以與之乎？言當與之也。孔注讀「毋」字絶句，云：「禄，法所當受，無以讓也。」失之。

無，否也。襄九年《左傳》曰：「穆姜始往東宮而筮之。史曰：『君必速出。』姜曰：

『亡。』」杜注曰：「亡，猶無也。」案：「亡」與「無」同，猶「否」也。《莊子・大宗師篇》曰：「子祀曰：『女惡之乎？』曰：『亡，予何惡？』」《至樂篇》曰：「支離叔曰：『子惡之乎？』滑介叔曰：『亡，予何惡？』」《達生篇》曰：「請問蹈水有道乎？曰：『亡，吾無道。』」「亡」與「無」同，言否也。

無，非也。《禮記・禮器》曰：「苟無忠信之人，則禮不虛道。」《易・繫辭傳》曰：「苟非其人，道不虛行。」文義與此同。言非忠信之人，則禮不虛行也。《管子・形勢解》曰：「無德厚以安之，無度數以治之，則國非其國，而民無其民。」言國非其國，而民非其民也。

無，未也。《荀子・正名篇》：「志輕理而不重物者，無之有也。外重物而不內憂者，無之有也。行離理而不外危者，無之有也。外危而不內恐者，無之有也。」言未之有也。

罔

罔，無也。常語。

罔，猶「不」也。《書・盤庚》曰：「罔罪爾衆。」某氏傳曰：「今我不罪女。」《微子》曰：「乃罔畏畏。」傳曰：「上不畏天災，下不畏賢人。」是也。又《盤庚》曰：「罔知天之斷命。」言不知天將斷絶女命也。《詩・抑》曰：「罔敷求先王，克共明刑。」言女不克廣索先王之明刑而執守之也。箋曰：「無廣索先王之道與能執法度之人乎？」失之。

罔，猶「得無」也。家大人曰：《楚辭・九章》曰：「欲高飛而遠集兮，君罔謂女何之。」洪興祖補注曰：「言欲高飛遠集，去君而不仕。得無謂女遠去欲何所適也。」王注以爲「誣罔」，失之。

微

微，無也。《詩・式微》曰：「微君之故。」《周語》曰：「微我，晉不戰矣。」毛傳、韋注竝曰：「微，無也。」宣十二年《公羊傳》曰：「君之不令臣交易爲言，是以使寡人得見君之玉面，而微至乎此。」微，無也。此，謂上文錫之不毛之地也。言寡人得見君面，徒以君之不令臣爲惡言，激怒使然耳。而其實貳而伐之，服而舍之，無或至於滅國遷君若此之甚也。何注曰：「微，喻小也。積小言語以致於此。」失之。說見《經義述聞》。

微，非也。《詩・柏舟》曰：「微我無酒。」箋曰：「非我無酒。」《禮記・檀弓》曰：「雖微晉而已。」注曰：「微，非也。」

勿

勿，無也，莫也。常語。

《廣雅》曰：「勿，非也。」《詩・靈臺》曰：「經始勿亟。」箋曰：「度始靈臺之基趾，非有急成之意。」

勿，語助也。《詩・節南山》曰：「弗問弗仕，勿罔君子。」「勿罔」，罔也。言弗問而察之，則下民欺罔其上矣。傳曰：「勿罔上而行也。」則與「弗問」、「弗仕」之文不相承。箋曰：「勿，當作末。不問而察之，則下民末罔其上矣。」亦未安。僖十五年《左傳》曰：「史蘇是占，勿從何益？」「勿從」，從也。言雖從史蘇之言，亦無益也。杜注曰：「雖復不從史蘇，不能益禍。」失之。與他處訓「無」者不同。

夫 音「扶」

夫，猶「乎」也，歎辭也。趙岐注《孟子・告子篇》曰：「夫，歎辭也。」在句末者，《易・繫辭傳》曰：「古之聰明睿知神武而不殺者夫！」《禮記・檀弓》曰：「爾責於人終無已夫！三年之喪，亦已久矣夫！」是也。在句中者，《檀弓》曰：「仁夫公子重耳！」《論語・子罕篇》曰：「逝者如斯夫！不舍晝夜。」是也。

夫，指事之辭也。《禮記・檀弓》曰：「予惡夫涕之無從也。」《禮運》曰：「是故夫禮。」僖二十四年《左傳》曰：「夫祛猶在。」宣二年曰：「公嗾夫獒焉。」《周語》曰：「然則夫支之所道者，必盡知天地之爲也。」是也。

夫，猶「彼」也。《禮記・三年問》曰「夫焉能相與羣居而不亂乎」，《荀子・禮論篇》「夫」作「彼」。襄二十六年《左傳》曰：「夫獨無族姻乎」，《楚語》作「彼有公族甥舅」。《齊語》曰「夫爲其君勤也」，《管子・小匡篇》「夫」作「彼」。哀二十五年《左傳》曰：「彼好專利而妄，夫見君之入也，將先道焉。」「夫」亦「彼」也。《漢書・賈誼傳》曰：「彼且爲我死，故吾得與之俱生。彼且爲我亡，故吾得與之俱存。夫將爲我危，故吾得與之皆安。」顔注曰：「夫，猶彼人耳。」是也。又《大戴禮・衛將軍文子篇》，孔子稱澹臺滅明之行曰：「獨貴獨富，君子恥之。夫也中之矣。」《禮記・檀弓》曰：「夫由賜也見我。」夫，猶「彼」也。皇侃曰：「夫，謂丈夫。」失之。 文十三年《左傳》曰：「請東人之能與夫二三有司言者。」十四年曰：「齊公子元不順懿公之爲政也，終不曰公，曰夫已氏。」宣二年曰：「夫其口衆曰寡。」襄二十六年曰：「夫不惡女乎？」三十一年曰：「使夫往而學焉，夫亦愈知治矣。」昭七年曰：「日君以夫公孫段爲能行其事。」十六年曰：「我皆有禮，夫猶鄙我。」《晉語》曰：「夫無乃以國故而行彊於君。」又曰：「夫豈惠其民而不惠於其父乎？」又曰：「今夫以君爲紂。」《鄭語》曰：「夫其子孫，必光啟土。」《楚語》曰：「夫其有故。」又曰：「夫先自敗也已，焉能敗人？」又曰：「余善之，夫乃其寧。」莊三十二年《公羊傳》曰：「夫何敢？是將爲亂乎？夫何敢！」《荀子・解蔽篇》曰：「不以夫一害此一。」夫，皆彼也。

夫，猶「此」也。《禮記·檀弓》曰：「夫夫也，爲習於禮者。」鄭注曰：「夫夫，猶言此丈夫也。」夫夫，猶「是夫」也。《檀弓》曰：「是夫也多言。」又曰：「從母之夫，舅之妻，夫二人相爲服。」今本「夫二人」訛作「二夫人」。辯見《經義述聞》。注曰：「夫二人，猶言此二人也。」《祭義》曰：「忌日不用，非不祥也。言夫日志有所至，而不敢盡其私也。」注曰：「親以此日亡，其哀心如喪時。」昭十六年《左傳》曰：「且夫易不可以占險。」杜注曰：「夫《易》，猶此《易》。」是也。又僖三十年《左傳》曰：「微夫人之力不及此。」成十六年曰：「夫二人者，魯國社稷之臣也。」襄二十六年曰：「君淹恤在外十二年矣，而無憂色，亦無寬言，猶夫人也。」言猶然如此之人也。《魯語》曰：「鼃於何有，而使夫人怒也。」《晉語》曰：「且夫戰也，微郤至，王必不免。」又曰：「夫二子之德，其可忘乎？」昭二十五年《公羊傳》曰：「有夫不祥。」《論語·先進篇》曰：「夫人不言，言必有中。」《孟子·公孫丑篇》曰：「夫士也，亦無王命而私受之於子。」夫，皆「此」也。

夫，猶「凡」也，「衆」也。《孝經疏》引劉瓛曰：「夫，猶凡也。」高誘《淮南·本經篇》注曰：「夫人，衆人也。」《書·召誥》曰：「夫知保抱攜持厥婦子。」正義曰：「夫，猶人人。言天下盡然也。」《顧命》曰：「思夫人自亂於威儀。」正義曰：「夫人衆國，各自治正於威儀。」《考工記》曰：「夫人而能爲鎛也。」「夫人」，猶「衆人」也。鄭注以「夫」爲「丈夫」，失之。《禮記·祭統》曰：「上有大澤，則民夫人待於下流。」襄八年《左傳》曰：「夫人愁痛。」杜注曰：「夫人，猶人人也。」二十七年曰：「且吾因宋以守，句病則夫能致死。」昭七年曰：「紂爲天下逋逃主，萃淵藪，故夫致死焉。」注曰：「人欲致死討紂。」哀十六年曰：「民知不死，其亦夫有奮心。」《周語》曰：「夫人奉利而歸諸上。」韋注曰：「夫人，猶人人也。」《楚語》曰：「夫人作享，家爲巫史。」皆是也。

夫，發聲也。《周官·司烜氏》曰：「掌以夫遂取明火於日。」鄭司農曰：「夫，發聲也。」《禮記·少儀》曰：「加夫橈與劍焉。」鄭注曰：「夫，或爲『煩』，皆發聲。」

拼音索引

A

B

C

D

E

F

M

N

P

Q

R

S

T

W

X

Y

Z

笔畫索引

一畫

二畫

三畫

四畫

五畫

六畫

七畫

八畫

九畫

十畫

十一畫

十二畫

十三畫

十四畫

十五畫

十六畫

十七畫

十八畫

十九畫

二十畫

二十一畫

二十二畫